中華國學經典百部

精華本

韩非子

［战国］韩非 著

申楠 译

中国书店

图书在版编目（CIP）数据

韩非子 /（战国）韩非著；申楠译 .—北京：中国书店，2023.10

（中华国学经典百部：精华本）

ISBN 978-7-5149-2963-8

Ⅰ . ①韩… Ⅱ . ①韩… ②申… Ⅲ . ①法家②《韩非子》—译文 Ⅳ . ① B226.54

中国版本图书馆 CIP 数据核字（2022）第 075472 号

韩非子

〔战国〕韩非 著　申楠 译

责任编辑：陈小莉

出版发行：中国书店

地　　址：北京市西城区琉璃厂东街 115 号

邮　　编：100050

电　　话：（010）63171753（总编室）

（010）63017857（发行部）

印　　刷：三河市嘉科万达彩色印刷有限公司

开　　本：787mm × 1092mm　1/32

版　　次：2023 年 10 月第 1 版第 1 次印刷

字　　数：95 千

印　　张：6（全 300）

书　　号：ISBN 978-7-5149-2963-8

定　　价：1490.00 元（全 50 册）

前言

韩非子，战国末期著名思想家，法家主要代表人物，为韩王（战国末期韩国君主）之子，荀子的学生，被誉为最得老子思想精髓的二人之一。

韩非子所处的正是诸侯争霸的年代，局势动荡，战乱频繁。在与秦国的交战中，韩国屡战屡败，国力也日渐衰减。韩非子多次给韩王上书进谏，希望韩王能在韩国实行变法，增强国力，但韩王均不予采纳。韩非子便将自己的法家思想主张与韩国面临的实情结合起来，写下了《说难》《说林》《内外储说》《五蠹》等伟大文章，这些文章也成了《韩非子》这本著作中的经典篇目，并且被收录在《史记》之中。

《韩非子》中大部分是韩非的生平著作，是法家思想的集大成之作。全书现存五十五篇，共计十余万字。按照内容划分，现存的文章可以划分为十组，分别从不同的角度阐发了韩非子的法家思想。鉴于篇幅有限，本书在编译过程中只精选了其中最为经典的十篇，即《说难》《说林》两篇、《内储说》两篇、《外储说》四篇、《五蠹》，并对内容庞杂的《说林》两篇、《内储说》两篇、《外储说》四篇进行了节选，对《说难》《五蠹》两篇文章则是全篇解读，旨在为读者呈上这部法家著作的精华。

为了让读者更好地进行阅读，我们将每一篇文章的解读分成了四个板块：

第一个板块为题解。位于每篇文章的开篇之处，从总体上把握全篇的纲要和写作特点，并对难以理解或有其他背景的篇名进行解说，便于读者入题。

第二个板块为原文。考虑到大多数文章篇幅较长，读者阅读难度较大，我们将原文划分成了多个段落，便于读者阅读。

第三个板块为注释。相对于以往的经典注释类书籍，我们精减了注解的数量，对大众较为熟悉的文言知识或较为浅显的文法现象予以省略，只保留了较为重要的、容易产生理解偏差的注释，以提高有效信息容量。个别段落因内容相对简单，注释板块便没有设置。

第四个板块为译文。本书的译文以直译为主，若直译不通顺，我们则在尊重原文的基础上进行了意译。先秦时期的文章省略较多，在翻译过程中为了使译句完整、前后文语意连贯，我们会适当补充省略的信息。

因时间仓促，译注过程中难免出现疏漏，还望各位读者指正。

目录

说难

【题解】

说（shuì）难，意指说服君主是一件困难的事情。文章就向君主进言的困难进行了细致分析，强调进言前要先弄清楚君主的心理；随后又介绍了进言的实用方略，并列举了民间故事和历史传说予以佐证。

【原文】

凡说之难：非吾知[1]之有以说之之难也，又非吾辩之能明吾意之难也，又非吾敢横失[2]而能尽之难也。凡说之难：在知所说之心，可以吾说当之。所说出于为名高者也，而说之以厚利，则见下节而遇卑贱，必弃远矣。所说出于厚利者也，而说之以名高，则见无心而远事情，必不收矣。所说阴为厚利而显为名高者也，而说之以名高，则阳收其身而实疏之；说之以厚利，则阴用其言显弃其身矣。此不可不察也。

【注释】

①知：同“智”。

②横失：指进言话语无所顾忌。失，通“佚”。

【译文】

一般来讲，进说的困难不在于我的才智能否向君主进说，也不在于我的口才能否阐明我的观点，也不在于我是否敢毫无顾忌地讲清楚我的看法。进说的困难一般在于了解进说对象的心理，以便我用恰当的说法去适应他。向那些追求名望的人进言，却用厚利去说服他，进言者就会被视为节操低下，并受到卑贱待遇，必然会遭人抛弃、被人疏远。向那些追求厚利的人进言，却用高尚的名声去说服他，进言者就会显得没有心计，而且脱离实际，其建议也必然不会被采纳。对那些实为追求厚利而表面追求美名的人，如果用高尚的名声向他进说，他就会表面上采纳进言者的意见，而在实际上疏远进言者；如果用厚利向他进说，他会在实际上采纳进言者的主张，却在表面上疏远进言者。这些都是明面上难以觉察的东西。

夫事以密成，语以泄败。未必其身泄之也，而语及所匿之事，如此者身危。彼显有所出事，而乃以成他故，说者不徒知所出而已矣，又知其所以为，如此者身危。规异事而当，知者揣之外而得之，事泄于外，必以为己也，如此者身危。周泽未渥也，而语极知，说行而有功，则德忘；说不行而有败，则见疑，如此者身危。贵人[①]有过端，而说者明言礼义以挑其恶，如此者身危。贵人或得计而欲自以为功，说者与知焉，如此者身危。强以其所不能为，止以其所不能已，如此者身危。故与之论大人，则以为间己矣；与之论细人[②]，则以为卖重。论其所爱，则以为借资；论其所憎，则以为尝己也。径省其说，则以为不智而拙之；米盐[③]博辩，则以为多而久之。略事陈意，则曰怯懦而不尽；虑事广肆，则曰草野而倨侮。此说之难，不可不知也。

【注释】

①贵人：文中指君主，后文“贵人或得计”亦同。

②细人：与前文“大人”相对，指君主近侍。

③米盐：泛指日常琐事。

【译文】

事情因保密而成功，谈话因泄密而失败。进言者本人或许并没有泄露机密，谈话中却触及君主心中的秘密，进言者可能就会因此身陷险境。从表面上看，君主在做这件事，心里却可能想借此做成其他的事，此时如果进说者不但知道君主所做的事，还知道他要这样做的原因，可能也会因此身陷险境。君主筹划了一件非同寻常的事情，而进言者的意见也刚好迎合君主心意，此时如果有聪明人从外部迹象上揣测出了这件事并泄露出来，君主一定会认为是进言者泄露的，如此就会身陷险境。君主对进言者的恩泽尚不深厚，而进言者却知无不言，倘若他的说辞得以施行并取得成功，功德就会被君主忘记；倘若他的说辞行不通而遭到失败，君主就会对他起疑心，此时进言者就会身陷险境。君主有过错，若进言者只顾倡言礼义来指出君主的毛病，进言者就会身陷险境。君主有时计谋得当而想独自揽下功绩，若进言者同样知道这条计谋，可能就会身陷险境。勉强君主去做他无法完成的事，强迫君主停止做他不想停下来的事，进言者就会身遭危险。所以进言者若与君主议论大臣，就会被视为试图离间君臣关系；和君主谈论近侍小臣，就会被视为试图卖弄身价。谈论受君主喜爱的人，就会被视为在寻找靠山；谈论君主所厌恶的人，就会被视为在刺探君主的内心。说话太过直白，就会被视为不懂变通之人；进言琐碎详尽，则会被视为废话连篇之人。简略陈述意见，就会被视为胆小怯懦不敢谏言之人；考虑事情空泛而放任，就会被视为粗野无礼之人。这些进言的困难，是不可不知的。

凡说之务，在知饰所说之所矜而灭其所耻。彼有私急也，必以公义示而强之。其意有下也，然而不能已，说者因为之饰其美而少其不为也。其心有高也，而实不能及，说者为之举其过而见其恶，而多其不行也。有欲矜以智能，则为之举异事之同类者，多为之地，使之资说于我，而佯不知也以资其智。欲内[①]相存之言，则必以美名明之，而微见其合于私利也。欲陈危害之事，则显其毁诽而微见其合于私患也。誉异人与同行者，规异事与同计者。有与同污者，则必以大饰其无伤也；有与同败者，则必以明饰其无失也。彼自多其力，则毋以其难概[②]之也；自勇其断，则无以其谪怒之；自智其计，则毋以其败穷之。大意无所拂悟[③]，辞言无所系縻，然后极骋智辩焉。此道所得，亲近不疑而得尽辞也。伊尹为宰，百里奚为虏，皆所以干其上也。此二人者，皆圣人也；然犹不能无役身以进，如此其污也！今以吾言为宰虏，而可以听用而振世，此非能仕[④]之所耻也。夫旷日离久，而周泽既渥，深计而不疑，引争而不罪，则明割利害以致其功，直指是非以饰[⑤]其身，以此相持，此说之成也。

【注释】

①内：同“纳”，进献。

②概：古代称量粮食时，用来刮平斗斛的工具，此处引

申为压抑、压平。

③悟：通“忤”，违逆、忤逆。

④能仕：指“智能之士”。仕：通“士”。

⑤饰：通“饬”，整饬、修治。

【译文】

一般而言，进言的要领在于懂得粉饰进言对象自以为得意的事，并掩盖他自以为羞耻的事。君主有要紧的私事，进言者一定要指明这是合乎公明大义的事情并鼓励他去做。君主有难以克制的卑下念头，进言者就应把它粉饰成美好的事情并抱怨他迟迟不去做。君主有过于不切实际的想法，进言者就要为他列出这件事的缺点、指明其中的坏处，并称赞他不去做是明智的。君主想夸耀自己的才能，进言者就要替他举出其他事情中的类似情况，多给他提供根据，使他能从“我”这里借用说法，但进言者自己得假装毫不知情，用这样的方式来帮助他自我夸耀。进言者要向君主进献与人相安的话，就必须借用好的名义来进行阐明，并要暗示这么做也符合君主的私人利益。进言者若想陈述有害的事，就要直言这么做会招致诽谤，并要暗示它会对君主不利。进言者要称赞与君主举止相似的另一个人，规划与君主思路相似的另一件事。对与君主有相同劣行的人，就必须对其加以粉饰，说这样的人没有什么害处；对与君主有相同失败经历的人，就必须对其予以掩盖，表明他没有什么过失。君主在夸耀自己的能力时，就不要用他难以完成的事去压抑他；君主自以为处事果断时，就不要用他的过失去激怒他；君主自以为计谋高明时，就不要用他的失败经历让他难堪。进说的主题不忤逆，言辞不与君主的想法相抵触，这样就可以充分施展自己的智慧和辩才了。由此而得到的是君主对进言者的亲近不疑以及进言者对君王的畅所欲言。伊尹曾为厨师，百里奚曾为奴隶，都是为了求得君主重用。这两个人都是圣人，但还是不能避免通过做低贱的事来换得重用，他们是多么卑下啊！现在如果因为我的这番话被采用做厨师和奴隶，而被听从并采用就能拯救天下，那么智能之士也不会以此为耻辱。长此以往，君主的恩泽已经深厚，进言者说出再深入的谋划也不会被怀疑，再据理力争也不会遭受罪罚，此时便能明确剖析利害来成就君主的功业，直接指明是非来端正君主的言行，能按这样的方式相互对待，便是成功的进言。

昔者郑武公欲伐胡，故先以其女妻胡君以娱其意。因问于群臣："吾欲用兵，谁可伐者？"大夫关其思[1]对曰："胡可伐。"武公怒而戮之，曰："胡，兄弟之国也。子言伐之，何也？"胡君闻之，以郑为亲己，遂不备郑。郑人袭胡，取之。

宋有富人，天雨墙坏。其子曰："不筑，必将有盗。"其邻人之父亦云。暮而果大亡其财。其家甚智其子，而疑邻人之父。此二人说者皆当矣，厚者为戮，薄者见疑，则非知之难也，处知则难也。故绕朝[②]之言当矣，其为圣人于晋，而为戮于秦也，此不可不察。

昔者弥子瑕有宠于卫君。卫国之法：窃驾君车者罪刖[③]。弥子瑕母病，人间往夜告弥子，弥子矫驾君车以出。君闻而贤之，曰："孝哉！为母之故，忘其刖罪。"异日，与君游于果园，食桃而甘，不尽，以其半啖君。君曰："爱我哉！忘其口味以啖寡人。"及弥子色衰爱弛，得罪于君，君曰："是固尝矫驾吾车，又尝啖我以余桃。"故弥子之行未变于初也，而以前之所以见贤而后获罪者，爱憎之变也。故有爱于主，则智当而加亲；有憎于主，则智不当见罪而加疏。故谏说谈论之士，不可不察爱憎之主而后说焉。

夫龙之为虫也，柔可狎而骑也；然其喉下有逆鳞径尺，若人有婴[④]之者，则必杀人。人主亦有逆鳞，说者能无婴人主之逆鳞，则几矣。

【注释】

①关其思：郑国大夫。

②绕朝：春秋秦国大夫。

③罪刖（yuè）：罪致刖刑。刖刑，古代一种砍掉脚或脚趾的刑罚。

④婴：通“撄”，触动。后文“无婴”亦同。

【译文】

从前郑武公想讨伐胡国，故意先把自己的女儿远嫁胡国君主来讨他欢心。后来郑武公问群臣：“我想出兵打仗，哪个国家可以打？”大夫关其思回答：“可以打胡国。”武公一怒之下便杀了他，说：“胡国是兄弟国度，你却说攻打它，哪有这个道理？”胡国君主听说这件事后，认为郑国和自己关系亲近，于是不再防备郑国。结果郑国偷袭胡国，并攻占了它。宋国有个富人，雨水冲垮了他家的围墙，他儿子说：“不修的话，盗贼必定会来偷盗。”邻居的老人也这么说。到了晚上，果然有大量财物被窃。富人认为自己的儿子很聪明，却对邻居老人起了疑心。关其思和这位老人的话都是对的，而重的导致被杀，轻的导致怀疑，这也说明了解情况没有困难，难在处理所了解的情况。因此，绕朝的话本是对的，他被晋国视为圣人，却被秦国杀害，这不得不引起注意。

弥子瑕曾受到卫灵公的宠信。卫国法令规定：私自驾驭国君车子的，论罪要处以刖刑。弥子瑕母亲病了，有人抄近路连夜通知弥子瑕，弥子瑕假托君主之命驾驭卫灵公的车子出城。卫灵公听闻这件事之后，反而认为他德行好，说："真孝顺啊！为了母亲的病，忘了自己会遭刖罪。"另一天，弥子瑕和卫灵公游览果园，弥子瑕摘了一个桃子吃，觉得味道甜美便没有吃完，把剩下的半个给了卫灵公吃。卫灵公说："弥子瑕多么爱我啊！好吃的东西却不顾自己的喜欢而留给我吃。"等到弥子瑕容颜衰老宠爱减少时，不慎得罪了卫灵公，卫灵公说："这人本来就曾假托我的命令私自驾车出城，还曾经把吃剩的桃子给我吃。"所以，弥子瑕的行为和当初并没什么两样，之前却被视为品德高尚，后来却因此遭罪，原因在于卫灵公对他的爱憎发生了变化。所以被君主宠爱时，才智就显得恰当而拉近与君主间的距离；被君主憎恶时，才智就显得不恰当而遭到君主的谴责以致被疏远。所以进言者不可不察看君主的爱憎，然后再对君主进说。

龙作为一种动物，驯服时可以骑着它嬉戏玩闹；但它喉下有一尺来长的逆鳞，假使有人触动了这片逆鳞，龙就会杀死他。君主也有逆鳞，进说者若能不触动君主的逆鳞，进言之事就差不多了。

说林上（节选）

【题解】

说，我国上古时期一种特有的文体形式，主要由民间传说与历史故事组成。“说林”指众多以“说”体形式出现的文章。《说林》分上下两篇，共七十一则传说故事，这些故事应为韩非子为其论文写作而准备的材料。

【原文】

一

汤以伐桀，而恐天下言己为贪也，因乃让天下于务光[①]。而恐务光之受之也，乃使人说务光曰：“汤杀君而欲传恶声于子，故让天下于子。”务光因自投于河。

秦武王令甘茂[②]择所欲为于仆与行事。孟卯曰：“公不如为仆。公所长者，使也。公虽为仆，王犹使之于公也。公佩仆玺而为行事，是兼官也。”

子圉见孔子于商太宰[③]。孔子出，子圉入，请问客。太宰曰："吾已见孔子，则视子犹蚤虱之细者也。吾今见之于君。"子圉恐孔子贵于君也，因谓太宰曰："君已见孔子，亦将视子犹蚤虱也。"太宰因弗复见也。

魏惠王为臼里之盟，将复立④于天子。彭喜谓郑君曰："君勿听。大国恶有天子，小国利之。若君与大不听，魏焉能与小立之？"

【注释】

①务光：人名，传说为夏朝末期的一位隐士。

②甘茂：秦武王时的左相。

③商太宰：宋国太宰。商，指宋国为周人安排商朝遗民所建立的国家。太宰，宋国与"相"相同的一种官职。

④立：通"位"。

【译文】

商汤已经攻克夏桀，但担心天下人说自己只是贪图夏桀的江山，遂将天下让给务光。但又担心务光真的接受，就派人劝告务光："商汤杀掉了夏朝的君主并想把坏名声转嫁到你的身上，所以才把天下让给你。"务光听到这里后便投河自尽了。

秦武王叫甘茂在仆官与行事官中挑一个自己想要做的官职。孟卯对甘茂说："您不如做仆官吧，您的特长是做使臣。即使做了仆官，君主还是会把使臣的差事交给您。您佩着仆官的印信，同时还担当着使臣的工作，这等于是身兼二职啊！”

子圉把孔子引见给宋国太宰。孔子走后，子圉进来，向太宰问对于孔子的看法。太宰说：“我见过孔子之后，再看你就像渺小的跳蚤虱子一样了。我现在就把他引见给国君。”子圉担心孔子被君主看重，因而告诉太宰：“君主见过孔子后，也会把你视为跳蚤虱子一般的人。”于是太宰就没有向宋国的国君引见孔子。

魏惠王在臼里举行盟会，打算恢复周天子的地位。彭喜对郑国君主说：“国君不要听他的。大国讨厌有天子，小国则认为这样对他们有利。如果国君您和大国都不听他的，魏国怎么可能与小国一起恢复周天子的地位？”

二

晋人伐邢，齐桓公将救之。鲍叔[①]曰：“太蚤。邢不亡，晋不敝；晋不敝，齐不重。且夫持危之功，不如存亡之德大。君不如晚救之以敝晋，齐实利。待邢亡而复存之，其名实美。”桓公乃弗救。

子胥出走，边候得之。子胥曰：“上索我者，以我有美珠也。今我已亡之矣。我且曰：子取吞之。”候因释之。

庆封[②]为乱于齐而欲走越。其族人曰：“晋近，奚不之晋？”庆封曰：“越远，利以避难。”族人曰：“变是心也，居晋而可；不变是心也，虽远越，其可以安乎？”

【注释】

①鲍叔：即鲍叔牙，齐桓公的大臣。

②庆封：春秋时期，齐国执政之卿。

【译文】

晋国讨伐邢国，齐桓公打算前去解救。鲍叔说：“为时尚早。邢国不灭亡，晋国就不疲惫；晋国不疲惫，齐国的地位就不会变得重要起来。况且扶持面临危机的国家的功德，比不上恢复已灭亡国家的功德。您不如晚点解救邢国，好让晋国疲惫些，这样做齐国才能真正得到好处。等邢国灭亡后再帮助他们复国，那样的名声才真正美好。”齐桓公于是不去解救了。

楚国人伍子胥出逃，守边官吏抓住了他。伍子胥说：“君主之所以搜捕我，是因为我有美珠。现在我没有美珠了——我会告诉楚王：是你抢走美珠并吞到肚子里去的！”守边官吏随即放走了伍子胥。

庆封在齐国作乱后，想逃到越国去。同族的人说：“晋国近，为什么不逃到晋国？”庆封说：“越国远，有利于避难。”同族的人说：“你把作乱的念头改掉，住在晋国就可以了；不改掉这种念头，就算是远居越国，你就能够安居了吗？”

三

智伯索地于魏宣子，魏宣子弗予。任章曰："何故不予？"宣子曰："无故请地，故弗予。"任章曰："无故索地，邻国必恐。彼重欲无厌，天下必惧。君予之地，智伯必骄而轻敌，邻邦必惧而相亲。以相亲之兵待轻敌之国，则智伯之命不长矣。《周书》[①]曰：'将欲败之，必姑辅之；将欲取之，必姑予之。'君不如予之以骄智伯。且君何释以天下图智氏，而独以吾国为智氏质乎？"君曰："善。"乃与之万户之邑。智伯大悦，因索地于赵，弗与，因围晋阳。韩、魏反之外，赵氏应之内，智氏以亡。

秦康公筑台三年。荆[②]人起兵，将欲以兵攻齐。任妄曰："饥召兵，疾召兵，劳召兵，乱召兵。君筑台三年，今荆人起兵将攻齐，臣恐其攻齐为声，而以袭秦为实也，不如备之。"戍东边，荆人辍行。

齐攻宋，宋使臧孙子南求救于荆。荆大说，许救之，甚欢。臧孙子忧而反。其御曰："索救而得，今子有忧色，何也？"臧孙子曰："宋小而齐大。夫救小宋而恶于大齐，此人之所以忧也，而荆王说，必以坚我也。我坚而齐敝，荆之所利也。"臧孙子乃归。齐人拔五城于宋而荆救不至。

【注释】

①《周书》：应为《逸周书》，是一部记载了周朝训诰誓命的书。原本共七十一篇，今存本已残缺。

②荆：楚国的别名。

【译文】

智伯向魏宣子索要土地，魏宣子不给。任章说：“为什么不给？”魏宣子说：“平白无故索要土地，所以我不给。”任章说：“智伯无故索求土地，邻国一定会感到恐惧。他贪欲太大且无止境，天下人一定会恐惧他。您把土地给了他，智伯必然会骄傲轻敌，邻国一定会因为恐惧而相互亲近抱团。用相互亲近团结的军队来对付轻敌的国家，那么智伯的寿命也就不会太长了。《逸周书》上说：‘想要打败它，先得姑且辅助它；想要夺取它，先得姑且给予它。’您不如给智伯一些土地先让他骄傲起来。况且您为何放弃用天下之力对付智伯的机会，而单独将我们魏国作为智伯的靶子呢？”魏宣子说：“好。”于是就把一个有万户人家的城邑给了智伯。智伯很高兴，随即向赵国索要土地。赵国不给，智伯因而围攻晋阳。韩国、魏国在城外反戈，赵国在晋阳城内接应，智伯由此而灭亡了。

秦康公为建筑高台花费了三年时间。楚国欲出兵攻打齐国。任妄说："饥荒会招致兵灾，病害会招致兵灾，劳民会招致兵灾，动乱会招致兵灾。您修筑高台花了三年时间，现在楚国出兵攻打齐国，我怕他们打着进攻齐国的幌子，实际上是为了攻打秦国。不如多加防备。"秦国随即加强了东面边境的防御，楚国很快就停止了军事行动。

齐国攻打宋国，宋国派臧孙子南下向楚国求救。楚国人很高兴，答应援助宋国，甚是欢欣。臧孙子在返回宋国的路上却忧心忡忡。他的车夫说："求援一事如愿以偿，为何您现在却面露忧虑？"臧孙子说："宋国小，齐国大。为了援救弱小的宋国而得罪强大的齐国，这是令人担忧的事，楚王如此高兴地表示愿意救援，必定是想以此来坚定我们抗齐的决心。我们坚持下去，齐兵就会疲惫，这便是楚国利益之所在。"臧孙子随即回到了宋国。齐国军队攻下宋国的五座城池，但楚国的援军一直没到。

四

魏文侯借道于赵而攻中山，赵肃侯将不许。赵刻曰："君过矣。魏攻中山而弗能取，则魏必罢[①]。罢则魏轻，魏轻则赵重。魏拔中山，必不能越赵而有中山也。是用兵者魏也，而得地者赵也。君必许之。许之而大欢，彼将知君利之也，必将辍行。君不如借之道，示以不得已也。"

鸱夷子皮事田成子，田成子去齐，走而之燕，鸱夷子皮负传而从。至望邑，子皮曰：“子独不闻涸泽之蛇乎？泽涸，蛇将徙。有小蛇谓大蛇曰：‘子行而我随之，人以为蛇之行者耳，必有杀子。不如相衔负我以行，人以我为神君也。’乃相衔负以越公道。人皆避之，曰：‘神君也。’今子美而我恶。以子为我上客，千乘之君也；以子为我使者，万乘之卿也。子不如为我舍人。”田成子因负传而随之。至逆旅[②]，逆旅之君待之甚敬，因献酒肉。

温人之周，周不纳客。问之曰：“客耶？”对曰：“主人。”问其巷人而不知也，吏因囚之。君使人问之曰：“子非周人也，而自谓非客，何也？”对曰：“臣少也诵《诗》，曰：‘普天之下，莫非王土；率土之滨，莫非王臣。’今君，天子，则我天子之臣也。岂有为人之臣而又为之客哉？故曰：主人也。”君使出之。

【注释】

①罢：通“疲”，疲劳、疲惫。

②逆旅：旅馆，客栈。

【译文】

魏文侯向赵国借路攻打中山国，赵肃侯不打算答应。赵刻说："您错了。魏国攻打中山，如果没有打下来，魏国一定会兵力疲惫。魏国疲惫了，地位就会变低，魏国地位变低了，赵国地位就显得高了。魏国向中山国进攻，必然无法以越过赵国的方式来占有中山。这样一来，出兵的是魏国，而拿地的是赵国。所以您一定得答应借道给魏国。如果您很高兴地答应，他们就会明白，您是想从中获得好处，因而必然会停止行动。您不如允许他们借道，并表现出这是不得已的事情。"

鸱夷子皮侍奉田成子。田成子从齐国离开，逃往燕国，鸱夷子皮跟在其后，并且背着出入关卡的文牒。到了望邑，鸱夷子皮说："您难道没听说过干枯湖沼中的蛇吗？湖沼干枯，蛇准备迁移。有条小蛇对大蛇说：'您走在前面，我跟在后面，人们会认为这只是过路的蛇而已，一定有人想杀死您。不如相互衔着，您背着我走，人们一定会视我为神君。'于是这两条蛇便相互衔着嘴，一条背着另一条在大路上行走。路人纷纷为它们让路，说它们是神君。您的样子华美而我的相貌鄙陋，把您作为我的上客，人们最多把您视为千乘小国的君主；把您作为我的使者，人们会把您视为万乘大国的卿相。您不如充当我的近侍吧！"田成子因此背着出入关卡的文牒跟随在后。到了客店，客店主人非常恭敬地招待了他们，并为他们献上酒肉。

温邑有个人到周国去，守城官不让这个客人进城。守城官问："是外地的客人吗？"温人回答说："是主人！"随即问与他住同一街巷的人，但大家都不认识他，守城官因而把他关了起来。周国君主派人问他："你不是周国人，却自称不是客人，为什么？"温人回答说："我小时候读《诗经》，里面说：'普天之下的土地，没有不是君王的；四海之内的水陆领域，没有人不是君王的臣民。'如今君王您是天子，那我就该是天子的臣民。哪有做人臣民却又当他客人的道理呢？所以我才会说我是主人。"周国君王随即将他从监狱里放了出来。

五

韩宣王谓樛留曰："吾欲两用公仲、公叔，其可乎？"对曰："不可。晋用六卿而国分，简公两用田成、阚止而简公杀，魏两用犀首[①]、张仪而西河之外亡。今王两用之，其多力者树其党，寡力者借外权。群臣有内树党以骄主，有外为交以削地，则王之国危矣。"

绍绩昧醉寐而亡其裘。宋君曰："醉足以亡裘乎？"对曰："桀以醉亡天下，而《康诰》曰'毋彝酒'者；彝酒，常酒也。常酒者，天子失天下，匹夫失其身。"

管仲、隰朋从于桓公而伐孤竹，春往冬反，迷惑失道。管仲曰："老马之智可用也。"乃放老马而随之，遂得道。行山中无水，隰朋曰："蚁冬居山之阳，夏居山之阴。蚁壤一寸而仞[2]有水。"乃掘地，遂得水。以管仲之圣而隰朋之智，至其所不知，不难师于老马与蚁。今人不知以其愚心而师圣人之智，不亦过乎？

【注释】

①犀首：魏国武官职名。

②仞：古代高度计量单位，一仞为八尺。

【译文】

韩宣王对樛留说："我想同时重用公仲、公叔，行吗？"樛留回答说："不行。晋国因重用六卿而终遭瓜分；齐简公因同时重用田成子和阚止而终遭杀害；魏国因同时重用犀首、张仪而最终丢失了西河之地。如今大王同时重用他们俩，其中势力大的那个就可能树立私党，势力小的那个就会勾结其他诸侯国势力。众多臣子中，有的在内树立私党来傲视君主，有的靠结交外敌来分割土地，这样一来，大王您的国家就陷入险境了。"

绍绩昧醉酒睡着后丢了皮衣。宋国君王说："喝醉酒就弄丢皮衣了吗？"绍绩昧回答说："夏桀因为喝醉酒而丢了天下，而《康诰》里说'不要彝酒'；彝酒，就是常常喝酒。常常喝酒，要是天子就会失去天下，要是平民百姓就会失去性命。”

管仲、隰朋跟随齐桓公去讨伐孤竹国，春季出征，冬季返回，途中迷了路。管仲说：“老马的才智可以利用一下。”随即松开老马，任它前行，大家跟在老马的身后，结果找到了路。走到山里没有水喝，隰朋说：“蚂蚁冬天住在山的南面，夏天住在山的北面。若地上的蚁洞高为一寸，蚁洞地下八尺之处必有水。”于是便从蚁洞向下掘地，结果找到了水。凭管仲和隰朋的才智，碰到他们不知道的问题，不把向老马和蚂蚁学习当作难为情的事。现在的人不知道用他们的愚蠢之心学习圣人的智慧，不也是一种错误吗？

说林下（节选）

【题解】

见《说林上》（节选）。

【原文】

一

桓赫曰："刻削[1]之道，鼻莫如大，目莫如小。鼻大可小，小不可大也；目小可大，大不可小也。"举事亦然。为其后可复者也，则事寡败矣。

崇侯、恶来知不适纣之诛也，而不见武王之灭之也。比干、子胥知其君之必亡也，而不知身之死也。故曰："崇侯、恶来知心而不知事，比干、子胥知事而不知心。"圣人其备矣。

宋太宰贵而主断。季子将见宋君，梁子闻之曰："语必可与太宰三坐乎，不然，将不免。"季子因说以贵主而轻国。

【注释】

①刻削：即雕刻。

【译文】

桓赫说："雕刻的原则是，鼻子不如先刻大一些，眼睛不如先刻小一些。鼻子大了可以改小，小了就不能改大；眼睛小了可以改大，大了就不能改小。"做事也是一样的道理。做的事情如果日后还能补救，做起来就不容易失败了。

崇侯、恶来知道不顺从纣王就会被诛杀，却没预料到武王会灭掉纣王。比干、子胥知道自己的君主必定会灭亡，但没料到自己会被杀死。所以说："崇侯、恶来知晓君主的心理，却不懂得国事的兴废；比干、子胥通晓国事的兴废，却不能察觉君主的心理。"大概只有圣人才能二者兼备吧。

宋国太宰地位尊贵但处事独断。季子想求见宋国国君，梁子听到后说："你和宋国国君说话时，一定要像与国君、太宰坐在一起时那样，否则，你可能难逃杀身之祸。"季子因此进言了一些尊重君主而少问国事的话。

二

杨朱之弟杨布衣素衣而出。天雨，解素衣，衣缁衣[1]而反，其狗不知而吠之。杨布怒，将击之。杨朱曰："子勿击也，子亦犹是。曩[2]者使女狗白而往，黑而来，子岂能毋怪哉？"

惠子曰："羿执决[3]持扞[4]，操弓关[5]机，越人争为持的。弱子扞弓，慈母入室闭户。"故曰："可必，则越人不疑羿；不可必，则慈母逃弱子。"

桓公问管仲："富有涯乎？"答曰："水之以涯，其无水者也；富之以涯，其富已足者也。人不能自止于足，而亡其富之涯乎！"

【注释】

①缁衣：黑衣服。

②曩（nǎng）：以往，从前。

③决：古代射箭的人戴在右手大拇指上用以拉弦的工具。

④扞（hàn）：古代射箭的人往左手臂上戴的一种袖套，多为皮制。

⑤关：牵引。

【译文】

杨朱的弟弟杨布穿着白衣服出门。天下雨了，他脱了白衣服，穿着黑衣服回来，家里的狗没认出他并向他汪汪大叫。杨布一怒之下想要打狗。杨朱说："你别打它，要是你也会这样的。要是早些时候，你的狗出去时是白色的，回来却变成黑色的，你难道会不感到奇怪吗？"

惠子说："后羿戴着决来拉弦，换上皮袖套，拉开弓，牵引扳机准备射箭时，连远处的陌生人都会争着为他举靶子。但小孩子拉弓射箭时，连慈母都会关门躲进屋里。"所以说："陌生人不会怀疑后羿的能力，是因为他一定能做到；慈母会躲避张弓射箭的孩子，是因为他不一定能做到。"

齐桓公问管仲："富有边际吗？"管仲回答说："水有边际，就是没有水的地方；富有边际，就是富到自我满足的时候了。人们无法在富足的问题上满足，所以富就没有了边际！"

三

宋之富贾有监止子者，与人争买百金之璞玉，因佯失而毁之，负其百金，而理其毁瑕，得千溢[①]焉。事有举之而有败，而贤其毋举之者，负之时也。

有欲以御见荆王者，众驺[②]妒之。因曰："臣能撽[③]鹿。"见王。王为御，不及鹿；自御，及之。王善其御也，乃言众驺妒之。

荆令公子将伐陈。丈人送之曰："晋强，不可不慎也。"公子曰："丈人奚忧？吾为丈人破晋。"丈人曰："可。吾方庐陈南门之外。"公子曰："是何也？"曰："我笑勾践也。为人之如是其易也，己独何为密密十年难乎？"

【注释】

①溢：同“镒”。一镒相当于二十两，一说为二十四两。

②驺（zōu）：马夫。

③撽（qiào）：打，击。

【译文】

宋国有个叫监止子的富商，为了和别人争买一块价值百金的璞玉，就假装失手将璞玉打破了，给买主赔了百金，商人后将摔坏的痕迹修好，转手卖出了千镒黄金。因为一件事情失败了而认为不做会更好，是因为只看到了赔钱的时候啊。

有个人想凭自己驾车的技术求见楚王，很多马夫都嫉妒他。他就说：“我能追打奔跑中的鹿。”见到楚王。楚王自己驾车，没能追上奔跑的鹿；这个人驾车，结果追上了。楚王夸奖他驾车的技术，他这时才说明许多马夫嫉妒他。

楚国命令公子统派兵讨伐陈国，有位长者送他时说：“晋国很强大，你不得不小心谨慎些。”公子说：“老人家您操的什么心？我为您攻破晋国吧。”长者说：“可以。我到时候会在陈国都城南门外搭座小房子。”公子说：“为什么要这么做呢？”老年人说：“我这是笑勾践呀。要是做人办事这么容易，他何苦勤勤恳恳地接受十年苦难的折磨呢？”

四

公子纠将为乱，桓公使使者视之。使者报曰："笑不乐，视不见，必为乱。"乃使鲁人杀之。

公孔弘断发而为越王骑，公孔喜使人绝[1]之，曰："吾不与子为昆弟矣。"公孙弘曰："我断发，子断颈而为人用兵，我将谓子何？"周南之战，公孙喜死焉。

有与悍者邻，欲卖宅而避之。人曰："是其贯将满矣，子姑待之。"答曰："吾恐其以我满贯也。"遂去之。故曰："物之几者，非所靡也。"

孔子谓弟子曰："孰能导子西之钓名也？"子贡曰："赐也能。"乃导之，不复疑也。孔子曰："宽哉，不被于利！洁哉，民性有恒！曲为曲，直为直。"孔子曰："子西不免。"白公之难，子西死焉。故曰："直于行者曲于欲。"

【注释】

①绝：断绝关系。

【译文】

公子纠打算叛乱，齐桓公派使者前往察看动静。使者报告说："公子纠笑得不快乐，看东西就像没看见一般，必定是要叛乱。"齐桓公就叫鲁人杀了公子纠。

公孙弘把头发剪了，并做了越王的随行骑士，公孙喜派人和他断交，说："我和你不再是兄弟了。"公孙弘说："我只是剪了头发，你却冒着断头的危险为别人领兵打仗，我还能说你什么呢？"周南之战时，公孙喜战死。

有个人与蛮横无理的人相邻，他想把房子卖掉加以躲避。别人劝他说："这人快恶贯满盈了，你姑且等一等。"想卖房子的人说："我担心的是他可能会用我来填满他的罪恶呢。"于是便搬走了。所以说："事情到了危急关头，就不要再拖拖拉拉了。"

孔子对弟子说："谁能劝阻子西的沽名钓誉呢？"子贡说："我能。"随即便去开导他，并且不再怀疑子西还会沽名钓誉。孔子说："心胸宽广啊，不会为利益所诱惑！品德纯洁啊，人的本性是恒定不变的！曲的就是曲的，直的就是直的。"孔子又说："子西免不了要遭灾。"白公发动叛乱时，子西便被杀死了。所以说："行为正直的人同样会屈服于自己的欲望。"

五

韩、赵相与为难。韩子索兵于魏曰："愿借师以伐赵。"魏文侯曰："寡人与赵兄弟，不可以从。"赵又索兵以攻韩，文侯曰："寡人与韩兄弟，不敢从。"二国不得兵，怒而反。已乃知文侯以构于已，乃皆朝魏。

齐伐鲁，索谗鼎，鲁以其雁[①]往。齐人曰："雁也。"鲁人曰："真也。"齐曰："使乐正子春来，吾将听子。"鲁君请乐正子春，乐正子春曰："胡不以其真往也？"君曰："我爱之。"答曰："臣亦爱臣之信。"

韩咎立为君，未定也。弟在周，周欲重之，而恐韩咎不立也。綦毋恢曰："不若以车百乘送之。得立，因曰为戒；不立，则曰来效贼也。"

靖郭君将城薛，客多以谏者。靖郭君谓谒者曰："毋为客通。"齐人有请见者曰："臣请三言而已。过三言，臣请烹。"靖郭君因见之。客趋进曰："海大鱼。"因反走。靖郭君曰："请闻其说。"客曰："臣不敢以死为戏。"靖郭君曰："原为寡人言之。"答曰："君闻大鱼乎？网不能止，缴[②]不能绁[③]也，荡而失水，蝼蚁得意焉。今夫齐亦君之海也。君长有齐，奚以薛为？君失齐，虽隆薛城至于天，犹无益也。"靖郭君曰："善。"乃辍，不城薛。

【注释】

①雁：通"赝"，假的。

②缴（zhuó）：系在箭上的生丝绳。

③绁：通"挂"。

【译文】

韩国、赵国相互为敌对国。韩国君主向魏国君主借兵，说："希望借您的军队来讨伐赵国。"魏文侯说："我们和赵国互为兄弟，无法听从您的要求。"赵国君主也向魏国借兵攻打韩国，魏文侯说："我们和韩国互为兄弟，无法听从您的要求。"两个国家都没有借到兵，于是都愤怒地回去了。事后才知道魏文侯想用这种方法来让两国和解，于是都去朝见魏文侯。

齐国讨伐鲁国，并向鲁国索要谗鼎，鲁国便把赝品过去了。齐国人说："这是赝品。"鲁人说："这是真品。"齐国人说："把乐正子春叫来证明，我就相信你。"鲁君请求乐正子春前往证明，乐正子春说："为什么不送真的过去？"鲁君说："我舍不得这个谗鼎。"乐正子春回答说："我也舍不得我的信誉。"

韩咎被立为国君，但事情还没有最终确定。韩咎的弟弟在周国，周国想让他身居要位，但又怕韩咎最后没能成为国君。綦毋恢说："不如用百辆兵车送他回国。韩咎若被立为国君，就说是护卫他弟弟的；若韩咎未能被立为国君，就说是向韩国献贼的。"

靖郭君打算在薛地建城，很多门客就此对他进行劝谏。靖郭君告诉通报人员："不要替门客们通报了。"有个齐国人请求接见，说："我只想请求说三个字。超过三个字，就请把我煮死好了。"田婴于是接见了他。客人快步走上前说："海大鱼。"说罢掉头就跑。田婴说："我想请你把话说完。"客人说："我可不敢将死当作儿戏。"田婴说："希望你能为我说清楚。"客人回答说："您听说过大鱼吗？网是捞不住它，生丝绳也拖不住它的，要是它任性乱游脱离了水，蝼蚁都能在它身上胡作非为。现在齐国就是您的大海。您能长期执掌齐国，还要薛地干什么？要是没了齐国，薛城就算修得高到天上了，你也得不到什么好处啊。"靖郭君说："说得好。"随即停工，不再在薛地建城了。

六

荆王弟在秦，秦不出也。中射之士[①]曰："资臣百金，臣能出之。"因载百金之晋，见叔向，曰："荆王弟在秦，秦不出也。请以百金委叔向。"叔向受金，而以见之晋平公曰："可以城壶丘矣。"平公曰："何也？"对曰："荆王弟在秦，秦不出也，是秦恶荆也，必不敢禁我城壶丘。若禁之，我曰：'为我出荆王之弟，吾不城也。'彼如出之，可以德荆；彼不出，是卒恶也，必不敢禁我城壶丘矣。"公曰："善。"乃城壶丘。谓秦公曰："为我出荆王之弟，吾不城也。"秦因出之。荆王大说，以炼金百镒遗晋。

阖庐攻郢，战三胜，问子胥曰："可以退

乎？”子胥对曰：“溺人者一饮而止，则无遂者，以其休也。不如乘之以沈②之。”

郑人有一子，将宦，谓其家曰：“必筑坏墙，是不善，人将窃。”其巷人亦云。不时筑，而人果窃之。以其子为智，以巷人告者为盗。

【注释】

①中射之士：指宫中武官侍从。

②沈：同“沉”。

【译文】

楚王的弟弟在秦国，秦国不愿放他回去。侍卫武官说：“给我百金，我有办法让他回国。”于是楚王便让他带着百金去了晋国。拜见叔向后，说：“楚王的弟弟在秦国，秦国不放他回去。请求给叔向大人百金来帮忙办这件事。”叔向接受了百金，并介绍他去见晋平公，说：“可以在壶丘筑城了。”晋平公问：“为什么？”叔向回答说：“楚王的弟弟在秦国，秦国不想放他走，这说明秦国憎恨楚国，所以必然不敢阻拦我们在壶丘筑城。要是秦国前来阻拦，我们就说：‘看在我们的面子上，把楚王的弟弟放回来，我们就不筑城了。’秦国如果把楚王的弟弟放了，我们就能获得楚国的感恩；如果不放，说明他们一直对楚国心怀憎恨，就一定不敢阻拦我们在壶丘筑城。”晋平公说：“好。”于是就在壶丘筑城。晋平公对秦景公说：“看在晋国面子上放了楚王的弟弟，我就不再筑城了。”秦因此放走了楚王的弟弟。楚王很高兴，赠给晋国百镒纯金表示感激。

吴王阖庐攻打郢都，取得多次胜利之后，问伍子胥说：“可以撤兵吗？”伍子胥回答说：“要想淹死一个人，如果只让他呛一口水就收手，那是不会成功的，因为中途停止了。不如乘机把他沉到水底。”

郑国有个人，他的儿子将要出去做官，临走前儿子告诉家人说：“坏了的墙一定要修补起来，否则，会有人来偷窃的。”他的街坊也这样说。因为没有及时修补，别人果然到他家来偷东西了。郑人认为他的儿子聪明，却把劝说他修墙的街坊视为盗贼。

内储说上七术（节选）

【题解】

“储说”这种文体由韩非首创，最大特点是通篇由“经”和“说”两部分组成，每篇都是先摆出论点，而后用事例加以说明。《韩非子》一书中，“储说体”一共六篇，《内储说》上下两篇，《外储说》分左右，左右又各分为上下两篇。

上篇名为《七术》。“七术”指君主管控臣子的七种权术，“经”一一指出了这七种权术，“说”则就每一种权术中提及的事例进行了具体说明。

【原文】

主之所用也七术，所察也六微。七术：一曰众端参观，二曰必罚明威，三曰信赏尽能，四曰一听责下，五曰疑诏诡使，六曰挟知而问，七曰倒言反事。此七者，主之所用也。

【译文】

君主用来管控臣子的方法有七种，需要明察的能对君主造成危害的隐秘情况有六种。君主掌控臣子的七种方法：一是从各个方面参验、观察；二是必须惩罚以彰显君主的威严；三是为尽力效忠者兑现奖赏；四是逐一听取意见，责成臣子行动；五是传出可疑的诏令，诡诈地驱使臣子来验证他们的忠诚；六是用事实反诘臣子来验证他们的言行；七是故意说反话、做违背天理的事来试探臣子。君主所使用的就是这七种方法。

经一　参观[①]

观听不参则诚不闻，听有门户[②]则臣壅塞。其说在侏儒之梦见灶，哀公之称“莫众而迷”。故齐人见河伯，与惠子之言“亡其半”也。其患在竖牛之饿叔孙，而江乙之说荆俗也。嗣公欲治不知，故使有敌，是以明主推积铁之类，而察一市之患。

【注释】

①参观：由“众端参观”省略而来，指要从多方面验证臣子的言行。

②听有门户：偏信某一个人的话，就好像只从一个门户出入一般。

【译文】

君主如果不加验证地观察和听取臣下的言行，就无法知道实情；如果只偏信一个人的话，就容易被臣子所蒙蔽。有关的解说在侏儒梦见灶，鲁哀公问孔子“莫众而迷”两则故事当中。所以有齐人看见黄河神以及惠施“会失去一半人”的传说。不加验证地观察和听闻，这种祸患在竖牛饿死叔孙和江乙评论楚国风俗的部分可以体现出来。卫嗣公想治国却不懂方略，结果故意让自己的臣子与妃子敌视抗衡，因此明君能从积铁防箭的道理中类推出防奸之道，明察市坊之中三人成虎的祸患。

说一

齐人有谓齐王曰：“河伯，大神也。王何不试与之遇乎？臣请使王遇之。”乃为坛场[①]大水之上，而与王立[②]之焉。有间，大鱼动，因曰：“此河伯。”

张仪欲以秦、韩与魏之势伐齐、荆，而惠施欲以齐、荆偃兵。二人争之。群臣左右皆为张子言，而以攻齐、荆为利，而莫为惠子言。王果听张子，而以惠子言为不可。攻齐、荆事已定，惠子入见。王言曰：“先生毋言矣。攻齐、荆之事果利矣，一国尽以为然。”惠子因说：“不可不察也。夫齐、荆之事也诚利，一国尽以为利，是何智者之众也？攻齐、荆之事诚不可利，一国尽以为利，何愚者之众也？凡谋者，疑也。疑也者，诚疑：以为可者半，以为不可者半。今一国尽以为可，是王亡半也。劫主者固亡其半者也。”

叔孙相鲁，贵而主断。其所爱者曰竖牛，亦擅用叔孙之令。叔孙有子曰壬，竖牛妒而欲杀之，因与壬游于鲁君所。鲁君赐之玉环，壬拜受之而不敢佩，使竖牛请之叔孙。竖牛欺之曰：“吾已为尔请之矣，使尔佩之。”壬因佩之。竖牛因谓叔孙：“何不见壬于君乎？”叔孙曰：“孺子何足见也。”竖牛曰：“壬固已数见于君矣。君赐之玉环，壬已佩之矣。”叔孙召壬见之，而果佩之，叔孙怒而杀壬。壬兄曰丙，竖牛又妒而欲杀之。叔孙为丙铸钟，钟成，丙不敢击，使竖牛请之叔孙。竖牛不为请，又欺之曰：“吾已为尔请之矣，使尔击之。”丙因击之。叔孙闻之曰：“丙不请而擅击钟。”怒而逐之。丙出走齐。居一年，竖牛为谢叔孙，叔孙使竖牛召之，又不召而报之曰：“吾已召之矣，丙怒甚，不肯来。”叔孙大怒，使人杀之。二子已死，叔孙有病，竖牛因独养之而去左右，不内人，曰：“叔孙不欲闻人声。”不食而饿杀。叔孙已死，竖牛因不发丧也，徙其府库重宝空之而奔齐。夫听所信之言而子父为人僇③，此不参之患也。

【注释】

①坛场：祭祀神灵的场所。一般来说，堆土称为“坛”，辟地称为“场”。

②立：通“莅”。

③僇：通“戮”。

【译文】

有个齐国人对齐王说：“黄河神是伟大的神，大王为什么不尝试和它见见面呢？我请求大王您见见它吧。”于是他在黄河边上修建了祭神的坛场，并和齐王站在坛场上。过了一会儿，有大鱼游动，齐人说：“这就是黄河神。”

张仪想凭借秦国、韩国和魏国交好的情形去讨伐齐国与楚国，惠施想与齐国、楚国罢兵言和，双方争执不下。群臣近侍都帮张仪说话，认为讨伐齐国、楚国是有利的，而没有人帮惠施说话。结果魏王采纳了张仪的主张，而认为惠施的主张不可行。讨伐齐国、楚国的事已成定局，惠子进见魏王。魏王说：“您不要说了。攻打齐国、楚国的事情确实有利，全国都这么认为。”惠施乘机进言：“这种情况不能不明察。如果攻打齐、楚这件事确实有利，而且全国都认为有利，为什么会有这么多聪明的人呢？如果攻打齐国、楚国这件事确实不利，全国都认为有利，又该有多少愚蠢的人啊！凡是进行商讨的事情，都还有怀疑的空间。确实是疑惑不定的事情，那么就会有一半人认可，一半人不认可。现在全国都认可，说明大王失去了另一半人的意见。挟持君主的人，就是让另一半意见失去的人啊！”

叔孙豹担任鲁国的宰相，地位尊贵而专权独断。他宠爱的那个人名叫竖牛，也常常擅自使用叔孙豹的号令。叔孙豹有个儿子叫仲壬，竖牛嫉妒他，并想杀了他，因而和仲壬一起到鲁国君主的住处游玩。鲁国君主赏赐了一个玉环给仲壬，仲壬接受了，但不敢佩戴，就让竖牛向叔孙豹请示。竖牛骗他说：“我已替你请示过叔孙了，他叫你把玉环戴上。”仲壬便佩戴了。竖牛乘机对叔孙豹说：“为什么不带仲壬去见见君主呢？”叔孙豹说：“小孩子哪能见君主？”竖牛说：“仲壬本来就见过君主好几次了。君主还赐给他玉环，而且他也都佩戴上了。”叔孙豹就召见仲壬，见到仲壬果然佩戴着玉环，一怒之下便杀了他。仲壬的哥哥叫孟丙，竖牛嫉妒他并且也想杀死他。叔孙豹为孟丙铸了口钟，钟铸成后，孟丙不敢擅自敲钟，让竖牛向叔孙豹请示。竖牛没有为他请示，并骗他说：“我为你请示过了，他让你敲钟。”孟丙就敲了钟。叔孙豹听见钟声后说：“孟丙不请示就擅自敲钟。”一怒之下就把他赶走了。孟丙逃到了齐国。过了一年，竖牛佯装替孟丙向叔孙豹谢罪，叔孙豹随即让竖牛把孟丙叫回来，竖牛没去，并且报告叔孙豹说：

"我已召唤过他了，但孟丙很恼怒，不愿意回来。"叔孙十分愤怒，派人将孟丙杀死。两个儿子都死了之后，叔孙豹患了重病，竖牛支开左右近侍而独自侍奉叔孙豹，并且不让人进入他的房间，说："叔孙豹不想听见别人的声音。"竖牛不给叔孙豹东西吃，活活把他饿死了。叔孙豹死后，竖牛也没有发讣告，而是将叔孙豹金库里的贵重宝物洗劫一空后逃到了齐国。听了自己所偏信的人的话，结果父子三人被杀，这就是听人话语而不加验证的隐患所在。

经二　必罚[①]

爱多者则法不立，威寡者则下侵上。是以刑罚不必则禁令不行。其说在董子之行石邑，与子产之教游吉也。故仲尼说陨霜，而殷法刑弃灰；将行去乐池，而公孙鞅重轻罪。是以丽水之金不守，而积泽之火不救。成欢以太仁弱齐国，卜皮以慈惠亡魏王。管仲知之，故断死人；嗣公知之，故买胥靡。

【注释】

①必罚：由"必罚明威"省略而来。

【译文】

如果君主太过仁慈，法制就建立不起来；如果威严不足，臣子就容易以下犯上。因此刑罚执行得不严格，禁令就无法推行。有关的解说在董子巡视石邑和子产教导游吉的故事中得以体现。所以孔子要谈论降霜，殷法规定对把灰烬倒在街上的人施以重刑；领队要远离乐池，而商鞅主张对犯小错的人重罚。因此丽水的金子会守不住，而积泽的火会没人扑救。成欢认为齐王太仁慈会削弱齐国，卜皮认为魏王慈惠将走向灭亡。管仲懂得这个道理，所以要分斩尸体；卫嗣君懂得这个道理，所以要花钱把逃犯买回来。

说二

齐国好厚葬，布帛尽于衣衾，材木尽于棺椁。桓公患之，以告管仲曰："布帛尽则无以为蔽，材木尽则无以为守备，而人厚葬之不休，禁之奈何？"管仲对曰："凡人之有为也，非名之则利之也。"于是乃下令曰："棺椁过度者戮其尸，罪夫当丧者。"夫戮死，无名；罪当丧者，无利：人何故为之也？

卫嗣君之时，有胥靡逃之魏，因为襄王之后治病。卫嗣君闻之，使人请以五十金[①]买之，五反而魏王不予，乃以左氏易之。群臣左右谏曰："夫以一都买胥靡，可乎？"王曰："非子之所知也。夫治无小而乱无大。法不立而诛不必，虽有十左氏无益也；法立而诛必，虽失十左氏无害也。"魏王闻之曰："主欲治而不听之，不祥。"因载而往，徒献之。

【注释】

①金：古代的货币单位。

【译文】

齐国喜欢厚葬，布帛都用来制作死人衣被了，好木材都用来做棺材了。齐桓公为此很担忧，就告诉管仲说："布帛用完了，就没有做遮体衣服的东西了；木材用完了，就没有修筑防御工事的材料了。人们厚葬的行为无休无止，怎样做才能加以禁止呢？"管仲回答说："凡是人的作为，不为图名，就为图利。"于是颁布命令："棺材超过标准的就刑戮死者的尸体，还要处罚主办丧事的人。"尸体遭到刑戮，就没有了名誉；主丧的人被处罚了，就无利可图了：人们为什么还要厚葬呢？

卫嗣君在位时，有个还在服刑的囚犯逃到了魏国，并乘机给魏襄王的王后治病。卫嗣君听说之后，就派人请求魏襄王允许他用五十金将囚犯赎回，使者往返五趟，魏王就是不同意。卫嗣君决定用左氏城来交换囚犯。群臣近侍向卫嗣君谏言说："用一座城池去买一个囚犯，值得吗？"卫嗣君说："这不是你们所能理解的。治理国家没有小事，叛乱不一定兴起于大事；如果不立法不严惩，即使有十个左氏城池也没有用；如果立法并兑现惩罚，即使失去十个左氏城池也没有损害。”魏襄王听说后，说：“卫嗣君想治理好国家而我却不答应，这不吉利。”于是用车子将囚犯押送到卫国，无偿交还给卫嗣君。

经三　赏誉[①]

赏誉薄而谩者下不用也，赏誉厚而信者下轻死。其说在文子称“若兽鹿”。故越王焚宫室，而吴起倚车辕，李悝断讼以射，宋崇门以毁死。勾践知之，故式[②]怒蛙；昭侯知之，故藏弊裤。厚赏之使人为贲、诸也，妇人之拾蚕，渔者之握鳣，是以效之。

【注释】

①赏誉：由“赏誉尽能”省略而来。

②式：通“轼”，指车前方的横木。

【译文】

赏誉轻薄且骗人的君主，臣子们不会为他所用；赏誉丰厚且守信用的君主，臣子很容易会争相为他卖命。有关的解说在文子称“若兽鹿”的故事中得以体现。所以越王要焚烧宫室，吴起要把车辕斜靠在城门外，李悝要依据射箭来断案，宋国奖励那个在都城东门外死去的人。勾践懂得赏誉的道理，所以会向趴在车横木上的怒蛙致敬；韩昭侯懂得赏誉的作用，所以会把旧裤子收藏起来。丰厚的奖赏能让人成为孟贲、专诸那样的勇士，妇人捡蚕、渔夫捉鳝鱼的故事就是证明。

说三

吴起为魏武侯西河之守。秦有小亭临境，吴起欲攻之。不去，则甚害田者；去之，则不足以征甲兵。于是乃倚一车辕于北门之外而令之曰："有能徙此南门之外者，赐之上田、上宅。"人莫之徙也。及有徙之者，还[①]赐之如令。俄又置一石[②]赤菽东门之外而令之曰："有能徙此于西门之外者，赐之如初。"人争徙之。乃下令曰："明日且攻亭，有能先登者，仕之国大夫，赐之上田宅。"人争趋之，于是攻亭，一朝而拔之。

李悝为魏文侯上地之守，而欲人之善射也，乃下令曰："人之有狐疑之讼者，令之射的，中之者胜，不中者负。"令下而人皆疾习射，日夜不休。及与秦人战，大败之，以人之善战射也。

宋崇门之巷人服丧而毁甚瘠，上以为慈爱于亲，举以为官师。明年，人之所以毁死者岁十余人。子之服亲丧者，为爱之也，而尚可以赏劝也，况君上之于民乎！

【注释】

①还，通"旋"，立即。

②石：古代重量单位，一石约一百二十斤。

【译文】

吴起担任魏武侯时的西河郡守。秦国有个小哨亭靠近魏国边境，吴起想攻下它。不除掉小哨亭吧，会对魏国的种田人构成很大威胁；要除掉吧，又不值得为此征集军队。于是吴起在北门外斜放了一根车辕木，然后下令道：“能把它搬到南门外的人，就能得到上等田地、上等住宅的赏赐。”没有人去搬它。等到有了搬动它的人，吴起立即按照命令进行了赏赐。不久吴起又在东门外放了一石赤豆，并下令说：“能把它搬到西门的人，跟先前一样赏赐。”人们都抢着搬。于是吴起下令道：“明天将攻打哨亭，谁先登上哨亭，就任命谁做国大夫，并且赏赐上等田地住宅。”人们争先恐后，于是一个早上就把哨亭给打下来了。

魏文侯时期，李悝担任上地郡守，他想要人们都善于射箭，就下令道：“如果谁遇到难断是非的诉讼案时，就让他们用弓箭射靶，能射中的胜诉，射不中的败诉。”命令下达后，人们都急忙练习射箭，日夜不停。到与秦国军队打仗的时候，魏国大胜敌人，这是因为上地人善于打仗射箭。

宋国都城东门有个百姓因服丧时过度悲哀，导致身体非常瘦弱。宋国君主认为他很爱自己的亲人，所以就提拔他做官。第二年，一年之中因服丧时过度悲哀而死的就有十几个人。孩子为父母服丧是因为爱父母，这种情况都可以用奖赏来加以劝勉，何况君主对于民众的关爱呢！

经四　一听①

一听则愚智不纷，责下则人臣不参。其说在“索郑”与“吹竽”。其患在申子之以赵绍、韩沓为尝试。故公子汜议割河东，而应侯谋弛上党。

【注释】

①一听：由“一听责下”省略而来。

【译文】

全面听取臣子的意见就不会造成愚和智相混乱，督责臣子的行动就能确保庸人不会混迹于能者之中。有关的解说在魏王想要吞并韩国和南郭处士吹竽的故事中体现。隐患则表现在申不害通过赵绍、韩沓去刺探韩昭侯的事情上。所以会有公子汜建议割让河东的故事，会有应侯范雎谋划放弃上党的故事。

说四

魏王谓郑王曰：“始郑、梁一国也，已而别，今愿复得郑而合之梁。”郑君患之，召群臣而与之谋所以对魏。公子谓郑君曰："此甚易应也。君对魏曰：'以郑为故魏而可合也，则弊邑亦愿得梁而合之郑。'"魏王乃止。

齐宣王使人吹竽，必三百人。南郭处士请为王吹竽，宣王说之，廪食①以数百人。宣王死，湣王立，好一一听之，处士逃。

一曰：韩昭侯曰："吹竽者众，吾无以知其善者。"田严对曰："一一而听之。"

【注释】

①廪食（lǐn sì）：指俸禄。

【译文】

魏王对韩王说："当初魏国、韩国属于同一个国家，后来才分开的，现在我希望重新把韩国并入魏国。"韩王有点担心，召集群臣来商议如何答复魏国。公子对韩王说："这很容易应对。您告诉魏王：'假如认为韩国与魏国原属一国而可以合并，那么我们韩国也希望把魏国并入韩国。'"魏王于是没再提出合并要求了。

齐宣王让人吹竽，一定要有三百个人同时演奏。南郭处士请求替齐宣王吹竽，齐宣王很高兴，让他和其他几百个人一样享受俸禄。齐宣王死后，齐湣王继位，喜欢一个一个地听他们吹竽，南郭处士随即就逃跑了。

另一种说法：韩昭侯说："吹竽的人太多了，我无法知道道其中谁吹得好。"田严回答说："那就逐个地听他们演奏吧。"

经五　诡使[1]

数见久待而不任，奸则鹿散。使人问他则并鬻私。是以庞敬还公大夫，而戴欢诏视辒车[2]，周主亡玉簪，商太宰论牛矢[3]。

【注释】

①诡使：由"疑诏诡使"省略而来。

②辒车：古代一种可以卧息、四面有帷帐的车辆。

③矢：通"屎"。

【译文】

君主多次召见一些臣子，让他们长久待在他身边，但对他们不予任用，奸臣就会像惊鹿一样四处逃散。君主派遣臣子去办事，并且以其他方式加以询问，臣子就不敢弄虚作假了。因此，庞敬要召回公大夫，戴欢要侦察卧车，周王要假装把玉簪弄丢了，宋太宰要对牛屎进行责问。

说五

庞敬，县令也。遣市者行，而召公大夫而还

之。立有间，无以诏之，卒遣行。市者以为令与公大夫有言，不相信，以至无奸。

戴欢，宋太宰，夜使人曰："吾闻数夜有乘辒车至李史门者，谨为我伺之。"使人报曰："不见辒车，见有奉[①]笥而与李史语者，有间，李史受笥。"

周主亡玉簪，令吏求之，三日不能得也。周主令人求，而得之家人[②]之屋间。周主曰："吾之吏之不事事也。求簪，三日不得之，吾令人求之，不移日而得之。"于是吏皆耸惧，以为君神明也。

商太宰使少庶子之市，顾反而问之曰："何见于市？"对曰："无见也。"太宰曰："虽然，何见也？"对曰："市南门之外甚众牛车，仅可以行耳。"太宰因诫使者："无敢告人吾所问于女。"因召市吏而诮之曰："市门之外何多牛矢？"市吏甚怪太宰知之疾也，乃悚[③]惧其所也。

【注释】

①奉：通"捧"。

②家人：指居民。

③悚：通"耸"。

【译文】

庞敬是一个县令，他派遣市场管理员出去巡视，并召唤公大夫中途返回。公大夫站了一会儿，庞敬并没有什么要转达给他的，最后还是让他走了。市场管理员认为县令不信任他们，并对公大夫说了什么，所以他们再也不敢作奸犯科了。

戴欢是宋国的太宰，夜里指派人说："我听说这几天夜里有人坐着卧车到了李史家门口。请小心地去替我监视一下。"派出去的人回报说："没有看到卧车，只看到有个捧着竹器的人跟李史说话，过了一会儿，李史将竹器收下了。"

东周君把玉簪弄丢了，命令官吏们去寻找，找了三天也没找到。东周君又下令派人寻找，结果在居民的家里找到了。东周君说："我的官吏都不做事。找根玉簪花了三天还没找到，我派人寻找，不到一天就拿回来了。"于是官吏们都惊恐不已，认为君主就是神明。

商太宰安排少庶子到市场上去，等他回来后便问："你在市场上看到了什么？"少庶子回答说："什么也没看到。"太宰说："尽管这样，你到底看到了什么？"少庶子回答说："市场南门外有很多牛车，仅能勉强通行。"太宰就告诫他说："不准把我问你的话告诉别人。"于是太宰招来市场官吏并责骂道："市场门外为什么有那么多的牛屎？"市场官吏很奇怪太宰为什么这么快就知道了，于是小心惶恐地开始职守了。

经六　挟智[1]

挟智而问，则不智者智；深智一物，众隐皆变。其说在昭侯之握一爪也。故必南门而三乡[2]得。周主索曲杖而群臣惧，卜皮使庶子，西门豹详[3]遗辖[4]。

【注释】

①挟智：由“挟智而问”省略而来。

②乡：通“向”。

③详：通“佯”。

④辖：插入车轴两头，防止车轮滑脱的插销。

【译文】

带着已知的事情去向别人求教，那么不知道的事也会知道的；深入了解一件事，许多隐情也都能分辨清楚了。有关的解说在韩昭侯将一片指甲握在手里的故事中得以体现。所以韩昭侯必然在知道南门外的情况后，能搞清其他三个门外面的情况。周君要下令搜寻弯曲的手杖而引起群臣恐慌，卜皮要指派庶子去刺探御史，西门豹要假装把车轴两头的插销弄丢了。

说六

韩昭侯握爪[1]，而佯亡一爪，求之甚急，左右因割其爪而效之。昭侯以此察左右之诚不[2]。

韩昭侯使骑于县。使者报，昭侯问曰："何见也？"对曰："无所见也。"昭侯曰："虽然，何见？"曰："南门之外，有黄犊食苗道左者。"昭侯谓使者："毋敢泄吾所问于女。"乃下令曰："当苗时，禁牛马入人田中固有令，而吏不以为事，牛马甚多入人田中。亟举其数上之；不得，将重其罪。"于是三乡举而上之。昭侯曰："未尽也。"复往审之，乃得南门之外黄犊。吏以昭侯为明察，皆悚惧其所而不敢为非。

周主下令索曲杖，吏求之数日不能得。周主私使人求之，不移日而得之。乃谓吏曰："吾知吏不事事也。曲杖甚易也，而吏不能得，我令人求之，不移日而得之，岂可谓忠哉！"吏乃皆悚惧其所，以君为神明。

卜皮为县令，其御史污秽而有爱妾，卜皮乃使少庶子佯爱之，以知御史阴情。

西门豹为邺令，佯亡其车辖，令吏求之不能得，使人求之而得之家人屋间。

【注释】

①爪：手指甲。

②不：通"否"。

【译文】

韩昭侯手握指甲，假装有一片指甲掉了，找得很着急，于是近侍就把自己的指甲割下来呈献给他。韩昭侯通过这件事来考察身边的近侍忠诚与否。

韩昭侯派人骑马去县里巡视。使者回报时，韩昭侯问："你看到了什么？"使者回答说："什么也没看到。"韩昭侯说："尽管这样，你到底看到了什么？"使者说："南门外有小黄牛在大路左边吃禾苗。"韩昭侯对使者说："不准把我问你的话泄露给别人。"于是下命令说："禾苗生长的时候，牛马不许进入农田之中，这条法令本来就有，官吏们却没把它当回事，很多牛马都进到农田里边了。立即把这个数目报上来；如果没有查到，要从重责罚。"于是县城三个方向都完成了上报。韩昭侯说："还没有报全。"官吏再去调查，才发现南门外的小黄牛。官吏认为韩昭侯明察秋毫，都惶恐小心地对待职守，再不敢胡作非为了。

东周君下令寻找弯曲的手杖，官吏找了几天也没能找到。东周君私下派人进行寻找，不到一天就找到了。东周君就对官吏说："我知道你们不认真做事情。找弯曲的手杖是很容易的事情，你们都找不到，我派别人去寻找，不到一天就找到了，你们也算是忠于国家吗？"官吏们于是都惶恐小心地对待职守，认为东周君是神明。

卜皮担任县令，他的御史行为卑劣但对小妾宠爱有加，卜皮就派遣少庶子假装喜欢她，靠这种办法来刺探御史的隐情。

西门豹在邺城当县令时，假装把车轴两头的插销弄丢了，命令官吏去寻找，结果没能找到。西门豹再派专人寻找，结果在居民的屋子里找到了。

经七　倒言[①]

倒言反事以尝所疑则奸情得。故阳山谩樛竖，淖齿为秦使，齐人欲为乱，子之以白马，子产离讼者，嗣公过关市。

【注释】

①倒言：由“倒言反事”省略而来。

【译文】

用反语和逆行来测试自己怀疑的事，就能了解到奸情。所以阳山要假装诽谤樛竖，淖齿要派人假扮成秦使，有个齐国人在作乱前先派人刺探君主，子之要用白马测试身边的人，子产要将诉讼双方隔离，卫嗣公要派人通过关市。

说七

阳山君相卫，闻王之疑己也，乃伪谤樛竖[①]以知之。

淖齿闻齐王之恶己也，乃矫为秦使以知之。

齐人有欲为乱者，恐王知之，因诈逐所爱者，令走王知之。

子之相燕，坐而佯言曰："走出门者何，白马也？"左右皆言不见。有一人走追之，报曰："有。"子之以此知左右之不诚信。

有相与讼者，子产离之，而无使得通辞，倒其言以告而知之。

卫嗣公使人为客过关市，关市苛难之，因事关市以金，关市②乃舍之。嗣公为关吏曰："某时有客过而所，与汝金，而汝因遣之。"关吏乃大恐，而以嗣公为明察。

【注释】

①樛（jiū）竖：卫国君主的近臣。

②关市：文中指管理关市的小官。

【译文】

阳山君在卫国担任宰相，听说卫国君主怀疑自己，就假装诽谤樛竖，以此来探知卫国君主的态度。

淖齿听说齐王厌恶自己，就派人假装成秦国使臣来刺探真情。

有个齐国人想作乱，又担心齐王知道，就假装把自己喜爱的人赶走，让他去齐王那里一探究竟。

子之担任燕国的宰相，坐在家里撒谎说："从门口跑出去的是什么，是白马吗？"身边的侍从都说没看见。有一个人跑出去追，回来报告说："有白马。"子之通过这种方法了解到身边的侍从中有人不诚实。

有对互相打官司的人，子产将他们相互隔离，让他们彼此不能说话，然后将他们说话的反面意思转达给对方，以此来了解实情。

卫嗣公派人装扮成客商从关口上的集市边经过。管理关市的官吏刁难他，他就用钱财贿赂了关吏，关吏便放他过关了。卫嗣公对关吏说："曾经，有个客商经过你的地方，给了你钱财你才放他过关。"关吏因而感到非常害怕，认为嗣公明察秋毫。

内储说下六微（节选）

【题解】

“六微”，指可能对君主产生危害的六种隐蔽情况。本篇有“庙攻”与“说七”，应该是混入了其他篇目的原因。

【原文】

六微：一曰权借在下，二曰利异外借，三曰托于似类，四曰利害有反，五曰参疑[1]内争，六曰敌国废置。此六者，主之所察也。

【注释】

①疑：通“拟”，类似、比拟。

【译文】

六种可能对君主产生危害的隐蔽情况：一是君主的权势为臣子所用；二是君臣利益不同而臣子借权谋私；三是臣子假托相似的事欺蒙君主；四是君臣利害关系彼此相悖；五是等级名分混乱而致内部夺权争

利；六是按敌国的意图对国中大臣予以任免。君主必须明察这六种情况。

经一　权借[1]

权势不可以借人。上失其一，臣以为百。故臣得借则力多，力多则内外为用，内外为用则人主壅。其说在老聃之言失鱼也。是以人主久语而左右鬻怀刷。其患在胥僮之谏厉公，与州侯之一言而燕人浴矢也。

【注释】

①权借：由“权借在下”省略而来。

【译文】

权力不可以为他人所借用。君主失去一分权势，臣子就会百倍加以利用。所以臣子借到权势，力量就会强大；臣子力量强大，朝廷内外就会被他所利用；朝廷内外一旦被利用，君主就会受到蒙蔽。有关的解说在老聃说的“鱼不可脱于渊”中得以体现。因此君主同臣子谈话的时间太长，周围的人就会炫耀主子赏赐的一些小物件。其中的祸患表现在胥僮劝谏晋厉公，州侯手下的人齐声为他开脱，燕人受骗用屎浴身几则故事之中。

说一

势重者，人主之渊也；臣者，势重之鱼也。鱼失于渊而不可复得也，人主失其势重于臣而不可复收也。古之人[①]难正言，故托之于鱼。

赏罚者，利器也，君操之以制臣，臣得之以拥[②]主。故君先见所赏，则臣鬻之以为德；君先见所罚，则臣鬻之以为威。故曰："国之利器，不可以示人。"

【注释】

①古之人：指老聃（老子）。

②拥：通"壅"，受骗，蒙蔽。

【译文】

重大的权势是君主的深渊，臣子就是权势深渊中的大鱼。鱼离开深渊，就再也得不到它了；君主把权势落在臣子手中，就再也收不回来了。古时候的老子难以直陈事理，所以把这个道理假托在鱼身上。

赏罚是锐利的武器，君主要操控它来制伏臣子，臣子拥有了它就能蒙蔽君主。所以君主如果事先把行赏的对象显露出来，臣子就会去卖弄人情并将它作为自己的恩德；君主如果事先将行罚的对象显露出来，臣子就会卖弄自己的权力来展现自己的权威。所以《老子》中有一句话："国家的锐利武器，是不能显露出来给别人看的。"

经二　利异[1]

君臣之利异，故人臣莫忠，故臣利立而主利灭。是以奸臣者，召敌兵以内除，举外事以眩主，苟成其私利，不顾国患。其说在卫人之妻夫祷祝也。故戴歇议子弟，而三桓攻昭公；公叔内齐军，而翟黄召韩兵；太宰嚭说大夫种，大成牛教申不害；司马喜告赵王，吕仓规秦、楚；宋石遗卫君书，白圭教暴谴。

【注释】

①利异：由“利异外借”省略而来。

【译文】

君主与臣子的利益不相同，所以没有绝对忠于君主的臣子，因此臣子得利，君主就失利。因此那些奸臣贼子会召唤敌国的军队来除掉国内的私敌，用外交的事情来蒙蔽君主，只要能成就个人的私利，就可以置国家的忧患于不顾。有关的解说在卫国某对夫妻祈祷求神赐福的故事中得以体现。所以戴歇要议论诸公子，而鲁国的三桓要合力攻打鲁昭公；公叔要招纳齐国的军队，翟黄要招募韩军；太宰嚭要劝说大夫种，大成牛要教导申不害；司马喜要给赵王报信，吕仓要规劝秦、楚两国攻打魏国；宋石给卫君写信，白圭要教育暴谴。

说二

卫人有夫妻祷者，而祝曰：“使我无故，得百束布。”其夫曰：“何少也？”对曰：“益是，子将以买妾。”

荆王欲宦诸公子于四邻，戴歇曰：“不可。”“宦公子于四邻，四邻必重之。”曰：“子出者重，重则必为所重之国党，则是教子于外市也，不便。”

鲁孟孙、叔孙、季孙相戮力劫昭公，遂夺其国而擅其制。鲁三桓①逼公，昭公攻季孙氏，而孟孙氏、叔孙氏相与谋曰：“救之乎？”叔孙氏之御者曰：“我，家臣也，安知公家？凡有季孙与无季孙于我孰利？”皆曰：“无季孙必无叔孙。”“然则救之。”于是撞西北隅而入。孟孙见叔孙之旗入，亦救之。三桓为一，昭公不胜。逐之，死于乾侯。

【注释】

①三桓：指鲁桓公的后代孟孙、叔孙、季孙三家。

【译文】

卫国有一对夫妻正在祈祷，妻子祈祷说：“让我无灾无难，还能得到百匹布帛。”她丈夫说：“为什么这么少？”妻子回答说：“多过这个数，你就会用它去买小妾。”

楚王想让几个公子去四周的邻国当官，戴歇说："不行。"楚王说："让公子们到四周的邻国当官，四周的邻国必定会器重他们。"戴歇说："公子出国做官受到器重，受到器重就必然变成这些国家的党羽，用对外勾结的方式来教育儿子，这样做不好。"

鲁国的孟孙、叔孙、季孙通力合作想挟制鲁昭公，结果占领了他的国家，控制了他的法令。鲁国的孟孙、叔孙、季孙三家威逼鲁昭公的朝廷，鲁昭公便攻打季孙，孟孙、叔孙互相商量说："去救他吗？"叔孙的车夫说："我只是个家臣，哪里懂得公家大事？只是看有季孙和无季孙，哪一样对我们更有利？"大家都说："没有季孙就没有叔孙。""既然这样，那就去救吧。"于是他们就撞开了西北角冲了进去。孟孙看见叔孙的战旗进来了，也去救援。三家的军队合成一股力量，打败了鲁昭公。三家把鲁昭公赶了出去，鲁昭公最后死在晋国的乾侯。

经三　似类[①]

似类之事，人主之所以失诛，而大臣之所以成私也。是以门人捐水而夷射诛，济阳自矫而二人罪，司马喜杀爰骞而季辛诛，郑袖言恶臭而新人劓，费无忌教郄宛而令尹诛，陈需杀张寿而犀首走。故烧刍廥[②]而中山罪，杀老儒而济阳赏也。

【注释】

①似类：由“托于似类”省略而来。

②刍廥（kuài）：放置马草的仓库。

【译文】

那些似是而非的假象，是君主处罚不当，而使大臣能够从中谋取私利的原因。因此守门人泼水但夷射却被诛杀；济阳君伪造君主的命令但另外两人却获罪；司马喜杀了爰骞而季辛却被诛杀；郑袖说新来的美人讨厌楚王的气味，美人便被割掉了鼻子；费无忌引诱郄宛上当而让令尹把郄宛给杀了；陈需杀死张寿而迫使犀首出逃。所以近侍烧掉马草仓库而中山国君就加罪于公子；济阳君的门客把老儒杀掉后反而获得了济阳君的嘉奖。

说三

齐中大夫有夷射者，御饮于王，醉甚而出，倚于郎[①]门。门者刖跪请曰：“足下无意赐之余沥乎？”夷射叱曰：“去！刑余之人，何事乃敢乞饮长者！”刖跪走退。及夷射去，刖跪因捐水郎门霤下[②]，类溺者之状。明日，王出而呵之，曰：“谁溺于是？”刖跪对曰：“臣不见也。虽然，昨日中大夫夷射立于此。”王因诛夷射而杀之。

魏王臣二人不善济阳君，济阳君因伪令人矫王命而谋攻己。王使人问济阳君曰：“谁与恨？”对曰：“无敢与恨。虽然，尝与二人不善，不足以至于此。”王问左右，左右曰：“固然。”王因诛二人者。

季辛与爰骞相怨，司马喜新与季辛恶，因微令人杀爰骞，中山之君以为季辛也，因诛之。

【注释】

①郎：通“廊”。

②霤（liù）下：屋檐下盛接雨水的地方。

【译文】

齐国有个中大夫叫夷射，在齐王那里陪酒，醉得不省人事才出来，身子倚靠在廊门上。受过刖刑的守门人跪着请求说：“您不愿赏一点吃剩下的酒给我吗？”夷射斥骂道：“滚！受过刑的人岂敢向尊长讨酒喝！”受刖刑的守门人连忙退下。等到夷射离开后，受刖刑的守门人就把水泼在廊门的檐沟下，像尿湿的样子。第二天，齐王出来后看见，怒责道：“谁在这里撒尿？”受刖刑的守门人跪着回答说：“我没看见。虽说如此，昨天中大夫夷射在这儿站过。”齐王因而处罚夷射，杀了他。

魏王的臣子中有两个人与济阳君不和善，济阳君就派人伪造王命而谋划进攻自己。魏王派人问济阳君说："谁跟你有仇？"济阳君回答说："我不敢和谁结仇。虽说如此，曾经与两个人的关系不好，但也没到这种地步。"魏王问左右的近侍，近侍们都说："确实有这回事。"魏王便将这两个人给杀了。

季辛和爰骞互相埋怨。司马喜最近与季辛交恶，就偷偷派人暗杀了爰骞。中山国君以为是季辛干的，于是就杀掉了季辛。

经四　有反①

事起而有所利，其尸主②之；有所害，必反察之。是以明主之论也，国害则省其利者，臣害则察其反者。其说在楚兵至而陈需相，黍种贵而廪吏覆。是以昭奚恤执贩茅，而僖侯谯③其次，文公发绕炙，而穰侯请立帝。

【注释】

①有反：由"利害有反"省略而来。

②尸主：指主持，其中尸、主为同义互见。

③谯：同"诮"，指责，责骂。

【译文】

发生了有利可得的事情，君主就应当予以主持；发生了有害的事情，就一定要从反面加以考察。因此英明的君主考虑问题，国家受害就要察看谁能从中得到好处，臣子受害就要考察与他利益相反的人。有关的解说在楚军到达后陈需却升任魏相，黍种价高而粮仓官吏受到检查两则故事中得以体现。因此昭奚恤逮捕了贩卖茅草的人，韩昭侯怒责厨师的副手；晋文公追查把头发缠在烤肉上的人，穰侯请求让秦王、齐王称帝。

说四

陈需，魏王之臣也，善于荆王，而令荆攻魏。荆攻魏，陈需因请为魏王行解之，因以荆势相魏。

韩昭侯之时，黍种尝贵甚。昭侯令人覆廪，吏果窃黍种而粜之甚多。

昭奚恤之用荆也，有烧仓廥窌[1]者而不知其人。昭奚恤令吏执贩茅者而问之，果烧也。

昭僖侯之时，宰人上食而羹中有生肝焉，昭侯召宰人之次而诮之曰："若何为置生肝寡人羹中？"宰人顿首服死罪，曰："窃欲去尚宰人也。"

一曰：僖侯浴，汤中有砾。僖侯曰："尚浴免，则有当代者乎？"左右对曰："有。"僖侯曰："召而来。"谯之曰："何为置砾汤中？"对曰："尚浴[2]免，则臣得代之，是以置砾汤中。"

【注释】

①窌（jiào）：地窖。

②尚浴：宫中司管君主沐浴的官员。

【译文】

陈需是魏王的臣子，与楚王关系好，便让楚国攻打魏国。楚国攻打魏国，陈需便乘机请求替魏王去讲和，于是利用楚国进攻魏国的形势做了魏国宰相。

韩昭侯时期，黍种价格一度很高。韩昭侯派人去粮仓检查，司管粮仓的官吏果然盗窃了很多黍种并且卖掉了。

昭奚恤在楚国执政时，有人放火把粮仓和地窖烧了，但不知道放火人是谁。昭奚恤命令官吏把卖茅草的人抓起来审问，果然是他放的火。

韩昭侯时期，厨师把饭端上来后，发现肉汤中有生肝，韩昭侯召唤厨师的助手过来并责骂他说："你为什么把生肝放到我的肉汤中？"厨师助手叩头承认自己犯了死罪，说："我想私下把主管大王膳食的人赶走。"

另一种说法：韩昭侯洗澡的时候，发现热水中有小石子。韩昭侯说："如果把主管洗澡的人罢免了，有能够取代的人选吗？"左右近侍回答说："有。"韩昭侯说："召唤他过来。"韩昭侯把叫来的人怒责了一通，说：“为什么把小石子放到热水里？”他回答说：“主管洗澡的人如果免职，我就能够取代他的位置，因此往热水中放了小石子。”

经五　参疑[①]

参疑之势，乱之所由生也，故明主慎之。是以晋骊姬杀太子申生，而郑夫人用毒药，卫州吁杀其君完，公子根取东周，王子职甚有宠而商臣果作乱，严遂、韩廆争而哀侯果遇贼，田常、阚止、戴欢、皇喜敌而宋君、简公杀。其说在狐突之称“二好”，与郑昭之对“未生”也。

【注释】

①参疑：由“参疑内争”省略而来。

【译文】

地位不同的臣子相互猜疑争权夺利的情形，就是产生祸乱的根源，所以英明的君主应该慎重地对待它。因此有晋国骊姬杀掉太子申生的事，有郑国夫人用药毒死郑国国君的事，有卫国的州吁杀掉哥哥卫桓公的事，有周国公子根占得东周的事，有王子职过度受宠而太子商臣兴兵叛乱的事，有严遂、韩廆争权导致韩哀侯最终被杀的事，田常和阚止争斗、戴欢和皇喜争斗，结果导致宋国君主与齐简公被杀的事。有关的解说在狐突谈论“君主宠爱姬妾和近臣”的危害，以及郑昭回答君主说“太子还未出生”这两则故事中得以体现。

说五

晋献公之时，骊姬贵，拟于后妻，而欲以其子奚齐代太子申生，因患申生于君而杀之，遂立奚齐为太子。

郑君已立太子矣，而有所爱美女欲以其子为后，夫人恐，因用毒药贼君杀之。

卫州吁重于卫，拟于君，群臣百姓尽畏其势重。州吁果杀其君而夺之政。

公子朝，周太子也，弟公子根甚有宠于君。君死，遂以东周叛，分为两国。

楚成王以商臣为太子，既而又欲置公子职。商臣作乱，遂攻杀成王。

一曰：楚成王以商臣为太子，既欲置公子职。商臣闻之，未察也，乃为其傅潘崇曰：“奈何察之也？”潘崇曰：“飨江芈[①]而勿敬也。”太子听之，江芈曰：“呼，役夫！宜君王之欲废女而立职也。”商臣曰：“信矣。”潘崇曰：“能事之乎？”曰：“不能。”“能为之诸侯乎？”曰：“不能。”“能举大事乎？”曰：“能。”于是乃起宿营之甲而攻成王。成王请食熊膰[②]而死，不许，遂自杀。

【注释】

①江芈（mǐ）：楚成王的妹妹。

②熊膰（fán）：烤熟的熊掌。膰，同“蹯”，古代祭祀用的熟肉。

【译文】

晋献公时期，骊姬地位尊贵，能与君主的正妻相提并论，她想用自己的儿子奚齐来取代太子申生，就在献公面前诬陷申生并杀了他，于是献公立奚齐为太子。

郑国君主已经确立了太子，而有个受宠的美女想让自己的儿子当继承人，郑国夫人很害怕，就用毒药毒死了他。

卫国州吁在卫国地位尊贵，几乎与国君相当，群臣百姓都畏惧他手中的重权，州吁果真杀了国君并篡夺了政权。

公子朝是周国太子，他的弟弟公子根备受周王的宠爱。周王死后，公子根就率领东周发动叛乱，周国便分裂为两个小国。

楚成王把商臣立为太子，没过多久又想把公子职立为太子。商臣听说之后就发动叛乱，起兵杀了成王。

另一种说法：楚成王把商臣立为太子，没过多久又想把公子职立为太子。商臣听说了这件事，但没有弄清楚具体情况，于是就对他的老师潘崇说："怎样才能弄清楚这件事呢？"潘崇说："设宴款待成王的妹妹江芈，但不要对她太尊敬。"太子听从了潘崇的建议。江芈说："呸，贱人！难怪君主想把你废掉而改立太子职呢。"商臣说："事情确实如此。"潘崇说："你愿意侍奉公子职吗？"商臣说："不愿意。""你愿意当公子职的诸侯吗？"商臣说："不愿意。""能发动大事吗？"商臣说："可以。"于是商臣就发动守卫宫殿的军队去讨伐楚成王。成王请求把烤熊掌吃完再死，商臣不答应，于是楚成王只能自杀。

经六　废置[①]

敌之所务，在淫察而就靡，人主不察，则敌废置矣。故文王资费仲，而秦王患楚使；黎且去仲尼，而干象沮甘茂。是以子胥宣言而子常用，内美人而虞、虢亡，佯遗书而苌弘死，用鸡猳[②]而郐桀尽。

【注释】

①废置：由"敌国废置"省略而来。

②猳（jiā）：同"豭"，猪。

【译文】

敌国所努力追求的，是让我国君主观察错乱而导致失误；君主如果不能明察，就会按敌国的意图来任免自己的大臣。所以周文王资助费仲，而秦王为楚国的使臣担忧；黎且设法赶走孔子，而干象阻止楚王扶持甘茂。因此伍子胥散布谣言让子常受到重用，虞国君主因为收纳了进献的美女而导致虞国与虢国灭亡，叔向伪造假书信而使苌弘被杀，郑桓公用鸡和猪制造结盟的假象而使邻国的豪杰尽数被杀。

说六

文王资费仲而游于纣之旁，令之谏纣而乱其心。

荆王使人之秦，秦王甚礼之。王曰："敌国有贤者，国之忧也。今荆王之使者甚贤，寡人患之。"群臣谏曰："以王之贤圣与国之资厚，愿荆王之贤人，王何不深知之而阴有之。荆以为外用也，则必诛之。"

仲尼为政于鲁，道不拾遗，齐景公患之。黎且谓景公曰："去仲尼犹吹毛耳。君何不迎之以重禄高位，遗[①]哀公女乐[②]以骄荣其意。哀公新乐之，必怠于政，仲尼必谏，谏必轻绝于鲁。"景公曰："善。"乃令黎且以女乐六[③]遗哀公，哀公乐之，果怠于政。仲尼谏，不听，去而之楚。

楚王谓干象曰："吾欲以楚扶甘茂而相之秦，可乎？"干象对曰："不可也。"王曰："何也？"曰："甘茂少而事史举先生。史举，上蔡之监门也，大不事君，小不事家，以苛刻闻天下。茂事之，顺焉。惠王之明，张仪之辨也，茂事之，取十官而免于罪，是茂贤也。"王曰："相人敌国而相贤，其不可何也？"干象曰："前时王使邵滑之越，五年而能亡[4]越。所以然者，越乱而楚治也。日者知用之越，今忘之秦，不亦太亟忘乎！"王曰："然则为之奈何？"干象对曰："不如相共立。"王曰："共立可相，何也？"对曰："共立少见爱幸，长为贵卿，被王衣，含杜若，握玉环，以听于朝，且利以乱秦矣。"

【注释】

①遗（wèi）：给，赠。

②女乐：此处指由女子组成的歌舞乐队。

③六：此处指列队排成六行。

④亡：通"忘"。

【译文】

周文王资助费仲，好让他能活动于商纣王身边，让他劝谏纣王，扰乱他的心思。

楚王派人去秦国，秦王对这位使者礼遇有加。秦王说：“敌国贤能的人，就是我国的忧患。如今楚王的使者非常能干，我很担心。”群臣劝谏说：“凭借大王的圣明和富饶的国家资财，羡慕楚王手下的贤人，大王何不与他深交并且暗中加以笼络呢？楚国认为他被外国利用的话，必定会杀掉他。”

孔子在鲁国执政，百姓路不拾遗，齐景公对此很担心。黎且对齐景公说：“除掉孔子，就像吹毛一样轻松。您何不用厚禄高官招引孔子，并把女子歌舞乐队送给鲁哀公来助长他的骄傲和虚荣心。鲁哀公有了新欢，必然会在政事上懈怠，孔子一定会劝谏；劝谏就很容易断绝和鲁国之间的关系。”齐景公说：“太好了。”便命令黎且把排成六行的女子歌舞乐队送给鲁哀公，哀公非常高兴，果真懒于政事。孔子劝谏，鲁哀公不听，孔子便离开鲁国而去了楚国。

楚王对干象说：“我想通过楚国的力量，扶持甘茂去秦国当宰相，行吗？”干象回答说：“不可以。”楚王说：“为什么？”干象说：“甘茂年轻时曾侍奉过史举先生。史举是上蔡的看门人，从大的方面说他没有侍奉过君主，从小的方面说他没有照顾好家庭，而且因刻薄而闻名天下。甘茂侍奉史举，而且很顺从他。秦惠王非常英明，张仪明察是非，甘茂侍奉他们，一共得到了十种官职，还免除了自己的罪过，这些都说明甘茂很贤能。”楚王说：“为跟我们一个相当的国家选了一个贤能的宰相，这有什么不可呢？”干象说：“过去大王把邵滑派去越国做官，五年就灭掉了越国。之所以能这样，是因为越国危乱而楚国太平。过去大王懂得把不贤的人派去越国搞乱他们，如今怎么忘了把这个经验用于秦国呢，这也忘得太快了吧！”楚王说：“那么该怎么处理这件事呢？”干象回答说：“不如让共立做宰相吧。”楚王说：“为什么共立又可以做宰相呢？”干象回答说：“共立年轻时就受秦王的宠爱，长大后又被封为贵卿，穿着秦王的衣服，嘴里含着杜若香草，手里拿着玉环，像这样在朝廷上处理问题，对于扰乱秦国就非常有利。”

经七　庙攻[1]

“参疑”“废置”之事，明主绝之于内而施之于外。资其轻者，辅其弱者，此谓“庙攻”。参伍既用于内，观听又行于外，则敌伪得。其说在秦侏儒之告惠文君也。故襄疵言袭邺，而嗣公赐令席。

【注释】

①庙攻：指在宗庙之中制定进攻敌人的策略。

【译文】

“臣下等级混乱而争权夺利”“君主观察错乱而按敌国的意图任免大臣”之类的事情，英明的君主应该杜绝它们在国内出现，并要把它们作为一种策略运用于国外。资助敌国那些权势轻的，支持那些势力弱的，这就是“庙攻”。君主既能检查、验证国内的情况，又能观察、探听国外的情况，就可以获得敌人的奸诈情报。有关的解说在秦国侏儒将自己偷听到的计谋告诉秦惠文王的故事中得以体现。所以襄疵把赵国要偷袭邺城的消息告诉魏王，卫嗣公会给县令赏赐床褥。

说七

秦侏儒善于荆王，而阴有善荆王左右而内重于惠文君。荆适有谋，侏儒常先闻之以告惠文君。

邺令襄疵，阴善赵王左右。赵王谋袭邺，襄疵常辄闻而先言之魏王。魏王备之，赵乃辄还。

卫嗣君时，有人于令之左右。县令发蓐[1]而席弊甚，嗣公还令人遗之席，曰：“吾闻汝今者发蓐而席弊甚，赐汝席。”县令大惊，以君为神也。

【注释】

①蓐：通“褥”，被单、床单。

【译文】

秦国的侏儒与楚王交好，并与楚王的左右侍从关系亲密，因而在国内深受秦惠文王器重。楚国有什么谋划时，侏儒常常能先知道，并将这个消息告诉给秦惠文王。

邺县县令襄疵与赵王的左右侍从私下交好，赵王谋划偷袭邺县，襄疵常常能够得到情报并事先告诉魏王。魏王防备充足，赵国每次都只能撤兵。

卫嗣君时期，有人受命待在县令身边。县令把褥子掀起时，露出了非常破旧的席子，卫嗣公马上派人给他送席子，说："我听说你今天掀起褥子时，席子非常破旧，所以赏赐席子给你。"县令非常吃惊，认为卫嗣君神明。

外储说左上（节选）

【题解】

“外储说”与“内储说”相对。“内”指针对君主本身的谋术；“外”指君主对待臣子的谋术。“内储说”上下两篇主旨明确，因此有“七术”与“六微”的标题，“外储说”内容相对庞杂，故没有拟定标题。

【原文】

经一

明主之道，如有若之应密子也。人主之听言也，美其辩；其观行也，贤其远。故群臣士民之道言者迂弘，其行身也离世。其说在田鸠对荆王也。故墨子为木鸢，讴癸筑武宫。夫药酒忠言，明君圣主之以独知也。

【译文】

英明君主的治国之道，就像有若回答宓子贱时所说的那样。君主听取言论时，欣赏说话人的辩才，观察行为时，称赞远离实际的作风。所以臣子和民众讲起话来，就高深莫测，做起事来就不切实际。这章的解说体现在田鸠回答楚王的故事中。所以有墨子做木鸢的故事，讴癸用歌声鼓舞修筑武宫的故事。忠言如药酒，苦口利于病，圣明的君主才能理解这一点。

说一

宓子贱治单父。有若见之曰："子何臞也？"宓子曰："君不知贱不肖，使治单父，官事急，心忧之，故臞也。"有若曰："昔者舜鼓五弦、歌《南风》之诗而天下治。今以单父之细也，治之而忧，治天下将奈何乎？故有术而御之，身坐于庙堂之上，有处女子之色，无害于治；无术而御之，身虽瘁臞[①]，犹未有益。"

楚王谓田鸠曰："墨子者，显学也。其身体则可，其言多而不辩，何也？"曰："昔秦伯嫁其女于晋公子，令晋为之饰装，从衣文之媵[②]七十人。至晋，晋人爱其妾而贱公女。此可谓善嫁妾，而未可谓善嫁女也。楚人有卖其珠于郑者，为木兰之椟，薰[③]以桂椒，缀以珠玉，饰以玫瑰，辑以翡翠。郑人买其椟而还其珠。此可谓善卖椟矣，未可谓善鬻珠也。今世之谈也，皆道辩说文辞之言，人主览其文而忘有用。墨子之说，传先王之道，论圣人之言，以宣告人。若辩其辞，则恐人怀其文忘其直，以文害用也。此与楚人鬻珠、秦伯嫁女同类，故其言多不辩。”

【注释】

①臞（qú）：瘦弱，消瘦。

②媵（yìng）：陪嫁的妾女。

③薰：通“熏”。

【译文】

宓子贱治理单父，有若见到他时说：“您为什么瘦了？”宓子贱说：“君主不知道我才能不够，派我治理单父，公务紧急，我心里很担心，所以瘦了。”有若说：“从前舜弹奏着五弦琴，唱着《南风》诗就治理好了天下。如今在单父这么个小地方，治理起来却要发愁，治理天下时你又该怎么办？所以掌握方法来治理国家，身子坐在朝廷里，有少女般红润的气色，这对治理国事也没什么坏处；没有办法去治理国家，身体即便又累又瘦，也还是没有什么好处。”

楚王对田鸠说：“墨子是个声名显著的学者。他身体力行起来还是不错的，但他讲的话虽然很多却不动听，为什么？”田鸠说：“过去秦国君主把女儿嫁给晋国公子，叫晋国为他女儿梳妆打扮，跟着陪嫁的那些衣着华丽的女子都有七十人。到了晋国，晋国人喜欢那些陪嫁的媵妾，却看不起他的女儿。这可以说是善于嫁妾，而不能说是善于嫁女。楚国有个人在郑国贩卖宝珠，他用木兰树的木头做了一个盒子，盒子用桂椒等香料熏过，用珠宝玉石进行点缀，还用玫瑰装饰，用翡翠连结。郑国人买了他的盒子，却把宝珠还给了他。这可以叫作善于卖盒子而不能说是善于卖宝珠。现在社会上的言论，都是一些漂亮动听的话，君主只看文采而忘记它们没有用处。墨子的学说，传扬先王的道义，阐明圣人言论，并将它们广泛地告知人们。如果修饰文辞的话，他就担心人们会留意于辞藻而忘了它的内在价值，这便是因为文辞而损害实用的结果。这和楚人卖宝珠、秦君嫁女儿是一个道理，所以墨子的话大都不怎么好听。”

经二

人主之听言也，不以功用为的①，则说者多“棘刺”“白马”之说；不以仪②的为关，则射者皆如羿也。人主于说也，皆如燕王学道也；而长说者，皆如郑人争年也。是以言有纤察微难而非务也，故季、惠、宋、墨皆画策也；论有迂深闳③大，非用也，故魏、长、瞻、陈、庄皆鬼魅也；行有拂难坚确，非功也，故务、卞、鲍、介、田仲皆坚瓠④也。且虞庆诎匠也而屋坏，范且⑤穷工而弓折。是故求其诚者，非归饷也不可。

【注释】

①的：箭靶，此处引申为目标。

②仪：准则。

③闳：通“弘”。

④瓠（hù）：瓠瓜，俗称“葫芦”。

⑤范且：即范雎，字叔。

【译文】

君主听取别人的言论，不把功效作为目的，进言的人就多半会说些在棘刺上刻猴、白马非马那样的话；不把客观目标当作标准，射箭的人就都成为像后羿一样的高手了。君主对待臣子的进说，都像燕王派人学习不死之道一样易被蒙骗；而擅长辩说的人，都像郑国人争论年龄一样没完没了。因此有些言谈是细致明察、微妙难懂的，但这都不是迫切紧要的，所以像季良、惠施、宋钘、墨翟这些人的学说，都像精心绘制的竹筒一样华而不实；有些议论显得深远旷达，却不切实际，所以像魏牟、长卢子、詹何、陈骈、庄周这些人的学说，都是像乱画鬼怪一样空洞失真；有些行动违反常规，一般人是难以坚持做下来的，却也没有什么功用，所以像务光、卞随、鲍焦、介子推、田仲这些人的作为，都和坚硬的葫芦一样没什么价值。再说虞庆虽然能把工匠反驳得无话可说，但工匠照他说的话造出来的房子最终还是垮了；范雎虽然能把工匠说得无言以对，但工匠照他的话造出来的弓最终还是折断了。因此要确实填饱肚子，除了回去吃饭外没别的办法。

说二

虞庆①为屋，谓匠人曰："屋太尊。"匠人对曰："此新屋也，涂濡而椽生。"虞庆曰："不然。夫濡涂重而生椽挠，以挠椽任重涂，此宜卑。更日久，则涂干而椽燥。涂干则轻，椽燥则直，以直椽任轻涂，此益尊。"匠人诎，为之而屋坏。

一曰：虞庆将为屋，匠人曰："材生而涂濡。夫材生则挠，涂濡则重，以挠任重，今虽成，久必坏。"虞庆曰："材干则直，涂干则轻。今诚得干，日以轻直，虽久，必不坏。"匠人诎，作之成，有间，屋果坏。

范且曰："弓之折，必于其尽也，不于其始也。夫工人张弓也，伏檠②三旬而蹈弦，一日犯机，是节之其始而暴之其尽也，焉得无折？且张弓不然：伏檠一日而蹈弦，三旬而犯机，是暴之其始而节之其尽也。"工人穷也，为之，弓折。

范且、虞庆之言，皆文辩辞胜而反事之情。人主说而不禁，此所以败也。夫不谋治强之功，而艳乎辩说文丽之声，是却有术之士而任"坏屋""折弓”也。故人主之于国事也，皆不达乎工匠之构屋张弓也。然而士穷乎范且、虞庆者：为虚辞，其无用而胜；实事，其无易而穷也。人主多无用之辩，而少无易之言，此所以乱也。今世之为范且、虞庆者不辍，而人主说之不止，是贵“败”“折”之类而以知术之人为工匠也。工匠不得施其技巧，故屋坏弓折；知治之人不得行其方术，故国乱而主危。

夫婴儿相与戏也，以尘为饭，以涂为羹，以木为胾③，然至日晚必归饷者，尘饭涂羹可以戏而不可食也。夫称上古之传颂，辩而不悫，道先王仁义而不能正国者，此亦可以戏而不可以为治也。夫慕仁义而弱乱者，三晋也；不慕而治强者，秦也，然而未帝者，治未毕也。

【注释】

①庆：通“卿”。

②檠（qíng）：一种工具，用来校正弓弩的弧度。

③胾（zì）：指大块的肉。

【译文】

虞庆建房子时对工匠说：“房顶太高了。”工匠回答说：“这是新房子，泥巴是湿的，椽木也没有干透。”虞庆说：“不对。湿泥巴重，没干透的椽木是弯的，用弯的椽木承受很重的湿泥巴，房顶就要造矮一些。时间一长，泥巴干，椽木也干了。泥巴干了就会变轻，椽木干了就会变直，用变直的椽木承受变轻的泥巴，房顶就会慢慢变高。”工匠无话可说，按照虞庆说的造完了房子，结果房子塌了。

另一种说法：虞庆建房子时对工匠说：“木材没干透，泥巴是湿的。木材没干透就会变弯，泥巴是湿的就会很重，用弯曲的木材承受很重的泥巴，即使现在建成了，时间一长，房子必然会坍塌。”虞庆说：“木材干了就会变直，泥巴干了就会变轻。现实是，木材和泥巴真的干了之后，它们会日渐变直变轻，即使时间久远也不会坏。”工匠无话可说，按他说的造起了房子。过了些日子，房子果然坍塌了。

范雎说：“弓被折断的时候，一定是在快完工的时候，而不是在开始制作的时候。工匠拉弓时，把弓放在校正器上三十天，然后再装上弦，一天内就拉弓射箭了，这是开始调节时缓慢而最后使用时急促，弓怎么可能不折断呢？我范雎张弓时就不是这样：用校正工具校上一天就装上弓弦，上弦三十天后才拉弓射箭，这就是开始的时候粗率，而最后有所节制。”工匠无言以对，便按照范雎说的去做，结果弓被折断了。

范雎、虞庆的言论，听上去都言之凿凿，却与实际情况相违背。君主喜欢听这一类话并且不加以禁止，这就是事情败坏的根源所在。不谋求治国强兵的功效，却羡慕那种辞藻华丽的话语，这就是排斥有真本事的人士，而去重用那些导致“屋塌”“弓折”之类的说客。所以君主对于治理国事，无外乎像是工匠通晓造屋和张弓的道理一般。然而有真本事的人之所以被范雎、虞庆那样的人物所困窘，原因在于：他们讲起虚浮的话来虽无实用，却能取得君主的认可；做起实际的事来，虽属不可改变，却会招致窘境。君主看重毫无用处的华美说辞，看轻揭示结果的言论，这便是国家危乱的原因。当今像范雎、虞庆那样的人物层出不穷，君主对这类人仍旧赞赏有加，这就是尊重导致“屋塌”“弓折”之类的议论，而将有真本事的人当作普通的工匠看待的体现。工匠不能施展技巧，所以房子会塌、弓会折断；懂得治理国家的人不能施展自己的方略，所以国家会陷入混乱，君主会处于险境。

孩子在一起玩耍游戏时，把尘土当饭食，把泥巴当肉汤喝，把木头当大块的肉来吃。但他们到了晚上是一定要回家吃饭的，因为尘土饭泥巴汤可以玩，却不能真正吃下去。称赞上古传颂的东西，动听却不真实，称赞先王的仁义道德，不能让国家发展走上正道，这些东西都只能用来游戏，不能用来治国。因仰慕仁义而使国家衰弱混乱的，韩国、赵国、魏国就是先例；不仰慕仁义而把国家治理强盛的，秦国就是例子，然而秦国还没有称帝，是因为治理工作还没完成。

经三

挟夫相为则责望，自为则事行。故父子或怨谯，取庸作者进美羹。说在文公之先宣言与勾践之称如皇也。故桓公藏蔡怒而攻楚，吴起怀瘳实而吮伤。且先王之赋颂，钟鼎之铭，皆播吾之迹，华山之博[①]也。然先王所期者利也，所用者力也。筑社之谚，自辞说也。请许学者而行宛曼于先王，或者不宜今乎？如是，不能更也。郑县人得车厄[②]也，卫人佐弋也，卜子妻写弊裤也，而其少者侍长者饮也。先王之言，有其所为小而世意之大者，有其所为大而世意之小者，未可必知也。说在宋人之解书与梁人之读记也。故先王有郢书，而后世多燕说。夫不适国事而谋先王，皆归取度者也。

【注释】

①博：通“簙”，一种类似于棋的游戏用具。

②厄：通“轭”，架在车马颈脖处的弯曲木头，可供驾车或拉犁用。

【译文】

带着相互依赖的心理，就会彼此责备埋怨；带着依靠自己的心理，事情就能办成。所以父子之间有时也会埋怨责怪，但会给雇工准备丰美的饭菜。有关的解说在文公讨伐宋国之前先宣布宋国的罪状，越王勾践讨伐吴国之前先宣布吴王修筑如皇台的罪状两则故事中得以体现。所以齐桓公按压住对蔡国的恼怒而攻打楚国，吴起怀着让士兵伤口愈合好前去拼命作战的念头为他们吮吸伤口。再说称道先王的那些赋颂，铸刻在钟鼎上的铭文，这些和赵武灵王在播吾山上刻的大脚印、秦昭襄王在华山上刻的大棋局类似，都是虚假的。然而前代帝王追求的是利益，花费的是气力。修筑社坛所用的那些谚语，是晋文公为自己辩解，从而鼓动他人卖力的办法。允许学者胡说八道，实行不着边际的先王之道，这对于当下不太合适吧？虽然这样，却又无法改变，就像郑县人得到了车扼却以为被骗了，掌管射飞禽的卫国人却射不到鸟，卜子的妻子按照旧裤子来做新裤子，以及年轻人为了侍候长者喝酒而机械模仿一样愚蠢。先王的言论，有些涉及的事情虽小，但对当今社会的意义却很重大，有些涉及的事情虽大，但对当今社会意义很小，这没必要非弄清楚不可。有关的解说在宋国人误解书中的含义而做了蠢事，以及一个梁国人读书最后变成了傻子的故事中得以体现。所以先王的话有时就像郢人写的信，而后人理解起来大多像燕国人读信那样乱解一气。不管是否与自己国家的政事相适应，而一味追求先王之道，就如同郑人买鞋不相信自己的脚，而要回家拿尺码一样。

说三

书曰："绅[1]之束之。"宋人有治者，因重带自绅束也。人曰："是何也？"对曰："书言之，固然。"

书曰："既雕既琢，还归其朴。"梁人有治者，动作言学，举事于文，曰："难之。"顾失其实。人曰："是何也？"对曰："书言之，固然。"

郢人有遗燕相国书者，夜书，火不明，因谓持烛者曰："举烛。"云而过书"举烛"。举烛，非书意也。燕相受书而说之，曰："举烛者，尚明也；尚明也者，举贤而任之。"燕相白王，王大说，国以治。治则治矣，非书意也。今世举学者多似此类。

郑人有且置履者，先自度其足而置之其坐[2]，至之市而忘操之。已得履，乃曰："吾忘持度。"反归取之。及反，市罢，遂不得履。人曰："何不试之以足？"曰："宁信度，无自信也。"

【注释】

①绅：古时候，人们用于捆束在衣服外面的大带子。

②坐：同"座"。

【译文】

古书上说："要反复约束自己。"宋国有个研习这本书的人，就用带子把自己一层一层地捆起来。别人问：“为什么要这样做？”他回答说：“书上这样说的，所以这样做。”

古书上说：“又雕又琢，才能还原它的本质。”魏国有个研习这本书的人，言行都学这句话，凡事讲究修饰，说：“真难啊。”结果失去了原本的样子。别人说：“为什么要这样做？”他回答说：“书上是这样说的，所以要这样做。”

郢都有个人夜里给燕国宰相写信，烛火不明亮，就对拿烛火的人说“举烛”，结果信中也误写上了“举烛”。“举烛”并不是信中的本意。燕国宰相收到信后却解释道：“‘举烛’就是崇尚光明；所谓崇尚光明，就是要选拔贤人加以重用。”燕国宰相把这件事告诉了燕王，燕王非常高兴。国家也因此治理好了。治理是治理好了，但这并不是信中传达的本意。当今被提拔的学者，大多都是这类人。

郑国有个人打算买鞋，先量好了自己脚的尺码，然后把它放在座位上，去集市的时候却忘了带。鞋子拿到手里才想起来，说：“我忘记拿尺码了。”于是返回家里去拿。等到再返回集市时，集市已经散了，结果没有买到鞋。有人说：“为什么不用脚试试？”他说：“我宁愿相信量出来的尺码，也不能相信自己的脚。”

经四

利之所在，民归之；名之所彰，士死之。是以功外于法而赏加焉，则上不信得所利于下；名外于法而誉加焉，则士劝名而不畜之于君。故中章、胥己仕，而中牟之异弃田圃而随文学者邑之半；平公腓痛足痹而不敢坏坐，晋国之辞仕托者国之锤。此三士者，言袭法则官府之籍也；行中事，则如令之民也：二君之礼太甚。若言离法而行远功，则绳①外民也，二君又何礼之？礼之当亡。且居学之士，国无事不用力，有难不被甲，礼之，则惰修耕战之功；不礼，则害主上之法。国安则尊显，危则为屈公之威②，人主奚得于居学之士哉？故明主论李疵视中山也。

【注释】

①绳：指木匠做工时用的墨线，这里用来比喻法度。

②威：通“畏”，害怕，畏惧。

【译文】

利益在什么地方，民众就归向什么地方；能够彰显好名声的事情，士人就会拼死为它奋斗。因此对不合乎法度的功劳加以赏赐，君主就不能从臣子那里得到利益；对不合乎法度的名声加以赞赏，士人就会追求名誉而不顺从君主的蓄养。所以中章、胥己当官之后，中牟当地的半数百姓就放弃种田转而追随写文讲学的人；晋平公双腿疼痛双脚麻痹了也不敢随意而坐，晋国辞掉官职和对贵族的依附，对叔向进行仿效的人占了国家的一半。这三个人的言论如果合乎法度，那也不过是按官方的法典讲话而已；行为恰当，那也不过是遵从法令的市民而已：但两位君主对他们的礼遇太过了。如果他们的言论背离法度而行动与实际需要相距甚远，那就是法度之外的人了，两个君主又凭什么对他们礼遇有加？礼遇这种人，国家必定要灭亡。况且那些隐居做学问的人，国家没有战事时不为耕田出力，国家有灾难时又不穿盔甲打仗。敬重这种人，就会让那些勤于耕田劳作的人变得懒惰；不敬重这种人，他们又会对君主的法制造成危害。国家安定，他们的尊贵就得以彰显；国家有难，他们又像屈公一样感到畏惧；君主能从这些隐居讲学的人那里得到什么吗？所以英明的君主会认可李疵对中山国君的看法。

说四

王登为中牟令，上言于襄主曰："中牟有士曰中章、胥己者，其身甚修，其学甚博，君何不举之？"主曰："子见之，我将为中大夫。"相室[①]谏曰："中大夫，晋重列也。今无功而受，非晋臣之意。君其耳而未之目邪！"襄主曰："我取登，既耳而目之矣，登之所取，又耳而目之，是耳目人绝无已也。”王登一日而见二中大夫，予之田宅。中牟之人弃其田②耘、卖宅圃而随文学者，邑之半。

叔向御坐，平公请事，公腓痛足痹转筋而不敢坏坐。晋国闻之，皆曰：“叔向贤者，平公礼之，转筋而不敢坏坐。”晋国之辞仕托慕叔向者，国之锤③矣。

郑县人有屈公者，闻敌，恐，因死；恐已，因生。

赵主父使李疵视中山可攻不也。还报曰：“中山可伐也。君不亟伐，将后齐、燕。”主父曰：“何故可攻？”李疵对曰：“其君见好岩穴之士，所倾盖与车以见穷闾隘巷之士以十数，伉礼下布衣之士以百数矣。”君曰：“以子言论，是贤君也，安可攻？”疵曰：“不然。夫好显岩穴之士而朝之，则战士怠于行陈④；上尊学者，下士居朝，则农夫惰于田。战士怠于行阵者，则兵弱也；农夫惰于田者，则国贫也。兵弱于敌，国贫于内，而不亡者，未之有也。伐之不亦可乎？”主父曰：“善。”举兵而伐中山，遂灭也。

【注释】

①相室：家臣头目。

②田：通“佃”，种田。

③锤：通“垂”，垂直则将一个事物分为两半，这里引申为“一半”的意思。

④陈：通“阵”。

【译文】

王登担任中牟县县令时，向赵襄子进言说：“中牟有中章和胥己两位士人，他们的修为很好，学识渊博，您为何不提拔他们呢？”赵襄子说：“你叫他们来见我，我将任命他们为中大夫。”赵襄子的家臣头目谏言道：“中大夫是晋国的要职，如今他们什么功劳也没有就授予官职，不符合晋国选拔大臣的本意。您大概也只是有所耳闻而没有亲眼看见吧！”赵襄子说：“我选拔王登，是既耳闻过又亲眼见过；王登选拔人，又是既耳闻过且亲眼见过。这样耳闻眼见的考察就永远没完没了了。”王登一天内给赵襄子引见了两个人，并让他们被任命为中大夫，授予他们土地和房屋。中牟县里的人放弃种田，卖掉住宅和菜园，以便追随这些写文讲学的人，这类人占了中牟县人口的一半。

叔向在晋平公的地方陪坐，晋平公与他商量事情，平公腿痛脚麻到抽筋，但他还是不得不端坐着。晋国人听说后，都说：“叔向是个贤能的人，晋平公对他礼遇有加，以致抽筋也不得不端坐着。”晋国辞官职以及对贵族的依附，对叔向进行效仿的人占了全国的一半。

郑县有个叫屈公的人，听到敌人来了，很害怕，因此而吓死了；害怕的情绪过去之后，又因此而活了。

赵武灵王派李疵去视察中山国是否可以攻打。李疵回来报告说；“中山国可以攻打。您不赶紧攻打的话，就要落后于齐国和燕国。”武灵王说：“为什么说可以攻打？”李疵回答说：“中山国君喜欢那些居住在洞穴之中的隐士。他亲自驱车接见那些住在穷困狭窄巷子的隐士次数要用十来计算，他用平等的礼节来接待的平民百姓人数要用百来计算了。”赵武灵王说：“按你所说的，中山国君是个明君，怎么可以攻打呢？”李疵说：“不是这样的。喜欢隐士并让他们参加朝会，这会让战士行军打仗的时候懈怠；君主尊重学者，底下的隐士在朝廷担任要职，农夫就懒于种田。战士懒得打仗，就削弱了兵力；农夫懒得耕作，国家就贫穷了。兵力比敌人弱，国家内部又穷，这样而不被灭亡的，还从来没有过。攻打中山不就是可行的吗？”赵武灵王说：“很好。”率兵攻打中山，随后消灭了它。

经五

《诗》曰：“不躬不亲，庶民不信。”傅说之以“无衣紫”，援之以郑简、宋襄，责之以尊厚耕战。夫不明分，不责诚，而以躬亲位下，且为“下走”“睡卧”，与夫“掩弊[1]”“微服”。孔丘不知，故称犹盂；邹君不知，故先自僇。明主之道，如叔向赋猎与昭侯之奚听也。

【注释】

①弊：通“蔽”。

【译文】

《诗经》上说：“君主不亲力亲为，百姓就不会相信。”齐王的老师举了“君主自己不穿紫衣服”的例子，援引郑简公、宋襄公的故事进行补充，并用尊重耕战的观点对这句诗进行指责。如果不明确君臣的名分，不责成臣子真心实意地效力，反要亲力亲为去做臣子该做的事情，做一些“下走”“睡卧”和“掩弊”“微服”之类的蠢事。孔子不懂这个道理，所以才会说君主像盂；邹王不懂这个道理，所以才会先将自己的长缨割断。明君的治国方法，就要像叔向分配猎物和韩昭侯听取意见那样。

说五

齐桓公好服紫，一国尽服紫。当是时也，五素不得一紫。桓公患之，谓管仲曰：“寡人好服紫，紫贵甚，一国百姓好服紫不已，寡人奈何？”管仲曰："君欲止之，何不试勿衣紫也？谓左右曰：'吾甚恶紫之臭[①]。'于是左右适有衣紫而进者，公必曰：'少却，吾恶紫臭。'"公曰："诺。"于是日，郎中[②]莫衣紫；其明日，国中莫衣紫；三日，境内莫衣紫也。

一曰：齐王好衣紫，齐人皆好也。齐国五素不得一紫。齐王患紫贵。傅说王曰："《诗》云：'不躬不亲，庶民不信。'今王欲民无衣紫者，王请自解紫衣而朝。群臣有紫衣进者，曰：'益远！寡人恶臭。'"是日也，郎中莫衣紫；是月也，国中莫衣紫；是岁也，境内莫衣紫。

【注释】

①臭（xiù）：气味。

②郎中：负责报信和保卫工作的侍从。

【译文】

齐桓公喜欢穿紫色的衣服，全国的人就都穿紫色的衣服。在那个时候，五匹白布还抵不上一匹紫布。齐桓公为此事担忧，对管仲说："我喜欢穿紫色的衣服，紫色的布就特别贵，全国百姓喜欢穿紫衣服且不能停止，我该怎么办？"管仲说："君王想要制止这种状况，为何不尝试着不去穿紫衣服呢？您就对身边的人说：'我特别讨厌紫衣服的气味。'如果在这个时候身边刚好有穿紫色衣服的人要进来见您，您一定要说：‘稍微往后退一点，我讨厌紫衣服的气味。’”桓公说：“好吧。”就在当天，君主身边的侍从没有一个人穿紫色的衣服；第二天，国都中没有一个人穿紫色的衣服；第三天，齐国境内没有一个人穿紫色的衣服。

另一种说法：齐王喜欢穿紫色的衣服，齐国人都喜欢穿紫色的衣服。齐国五匹白布抵不上一匹紫布。齐王担心紫色的布太贵。管仲对齐王说：“《诗经》上说：‘君主不事必亲为，百姓就不会相信。’现在大王想让百姓都不穿紫衣服，就请先自己把紫色的衣服脱下来再去上朝。众多臣子中有穿紫色衣服进见的人，就说：‘离我远一点，我讨厌紫色衣服的气味。’”就在当天，身边的侍从没有一个人穿紫色的衣服；当月，国都中没有一个人穿紫色的衣服；当年，齐国境内没有一个人穿紫色的衣服。

经六

小信成则大信立，故明主积于信。赏罚不信则禁令不行，说在文公之攻原与箕郑救饿也。是以吴起须故人而食，文侯会虞人而猎。故明主表信，如曾子杀彘也。患在厉王击警鼓与李悝谩①两和也。

【注释】

①谩（mán）：蒙蔽、欺骗。

【译文】

在小事上讲信用才能在大事上树立起信用，所以英明的君主要积累信誉。赏罚不讲信用，禁令就无法推行，有关的解说在晋文公攻打原国和箕郑谈论救济饥荒的故事中得以体现。因此吴起要等老朋友回来才吃饭，魏文侯要与主管山林湖泊的官员去打猎。所以英明的君主要表明信用，就要像曾子杀猪那样说到做到。不讲信用的祸患表现在楚厉王误敲报警的军鼓以及李悝欺骗左右两军的故事中。

说六

晋文公攻原，裹十日粮，遂与大夫期十日。至原十日，而原不下，击金而退，罢兵而去。士有从原中出者，曰："原三日即下矣。"群臣左右谏曰："夫原之食竭力尽矣，君姑待之。"公曰："吾与士期十日，不去，是亡吾信也。得原失信，吾不为也。"遂罢兵而去。原人闻曰："有君如彼其信也，可无归乎？"乃降公。卫人闻曰："有君如彼其信也，可无从乎？"乃降公。孔子闻而记之曰："攻原得卫者，信也。"

文公问箕郑曰：“救饿奈何？”对曰：“信。”公曰：“安信？”曰：“信名，信事，信义。信名，则群臣守职，善恶不逾，百事不怠；信事，则不失天时，百姓不逾；信义，则近亲劝勉，而远者归之矣。”

吴起出，遇故人而止之食。故人曰：“诺，今返而御。”吴子曰：“待公而食。”故人至暮不来，起不食待之。明日早，令人求故人。故人来，方与之食。

魏文侯与虞人期猎。明日，会天疾风，左右止文侯，不听，曰：“不可以风疾之故而失信，吾不为也。”遂自驱车往，犯风而罢虞人。

曾子之妻之市，其子随之而泣。其母曰：“女还，顾[1]反为女杀彘。”适市来，曾子欲捕彘杀之。妻止之曰：“特与婴儿戏耳。”曾子曰：“婴儿非与戏也。婴儿非有知也，待父母而学者也，听父母之教。今子欺之，是教子欺也。母欺子，子而不信其母，非以成教也。”遂烹彘也。

【注释】

①顾：返回，与“返”同义。

【译文】

晋文公攻打原国时，装了十天的军粮，并和大夫约定战斗期限为十天。到达原国后，十天也没有攻下原国，晋文公敲钟退兵，离开了原国。有个从原国出来的文士说：“再有三天就可以攻下原国了。”身边的众多大臣纷纷进谏说：“原国城内已经粮食枯竭，兵力耗尽了，君主姑且再等一等吧。”晋文公说：“我和大夫约定战斗期限就是十天，期限到了不离开，就是失去了我的信用。得到原国而失掉信用，我不做这种事。”于是收兵离去。原国人听说之后，说：“有这么守信用的君主，能不归顺吗？”就向晋文公投降了。卫国人听说之后，说：“有这么守信用的君主，能不归顺吗？”便也向晋文公投降了。孔子听到后记录道：“攻打原国而得到了卫国，靠的就是信用。”

晋文公问箕郑：“怎样才能救济饥荒？”箕郑回答：“靠信用。”晋文公说：“怎样依靠信用呢？”箕郑说：“在名位上讲信用、在政事上讲信用、在道义上讲信用。在名位上讲信用，众多臣子就会尽忠尽职，善恶分明不越界，各种公事不敢怠慢；在政事上讲信用，就不会错过天然时机，百姓不会僭越犯事；在道义上讲信用，亲近的人就会努力工作，疏远的人也会前来归顺。”

吴起出门，碰到老朋友，就叫住他一起吃饭。老朋友说：“好吧。我今天就回来跟你一起吃饭。”吴起说：“我等你来吃饭。”老朋友到晚上还没来，吴起也不吃饭等着他。第二天早上，吴起派人去请老朋友。老朋友来了，吴起才和他一起吃饭。

魏文侯和主管山林湖泊的官员约定了打猎时间。第二天，恰逢天刮大风，身边的侍卫都劝魏文侯不要去了，魏文侯不听，说：“不能因为刮大风而失掉信用，我不做这种事。”于是亲自驾车前去，顶着大风告诉主管山林湖泊的官员打猎的事情作罢。

曾子的妻子去集市，她的儿子跟在身后哭泣。他的母亲说：“你回去，等我回来杀猪给你吃。”她从集市回来，曾子就打算抓只猪来杀。妻子阻止他，说：“只是和小孩子开玩笑罢了。”曾子说：“小孩子不是用来开玩笑的对象。小孩没什么才智，等着学习父母的样子，听从父母的教诲。你今天欺骗了孩子，就是教孩子学会欺骗。母亲欺骗孩子，孩子就不会相信母亲了，这不是教育的方法。”于是就把猪给烹杀了。

外储说左下（节选）

【题解】

本篇亦由六段“经”“说”组成，讲君主应对臣子的六种谋术。

【原文】

经一

以罪受诛，人不怨上，跀①危②坐子皋；以功受赏，臣不德君，翟璜操右契而乘轩。襄王不知，故昭卯五乘而履屩。上不过任，臣不诬能，即臣将为夫少室周。

【注释】

①跀：通“刖”，砍脚的刑罚。

②危：通“跪”，脚、足。

【译文】

因为犯罪而受罚，受罚的人不会怨恨君上，所以受刖刑的人反而保全了子皋；因为功劳而受到奖赏，臣子不应对君主表示感激，所以翟璜拿着还钱契约理所当然地坐着尊贵的轩车。魏襄王不懂得这个道理，昭卯只拿到五乘的奖赏，就像有钱人却穿着草鞋一般。君主不错误地任用臣子，臣子不隐瞒有能力的人，那么臣子都能成为少室周那样的人。

说一

孔子相卫，弟子子皋为狱吏，刖人足，所跀者守门。人有恶①孔子于卫君者，曰："尼欲作乱。"卫君欲执孔子。孔子走，弟子皆逃。子皋从出门，跀危引之而逃之门下室中，吏追不得。夜半，子皋问跀危曰："吾不能亏主之法令而亲跀子之足，是子报仇之时也，而子何故乃肯逃我？我何以得此于子？"跀危曰："吾断足也，固吾罪当之，不可奈何。然方公之狱治臣也，公倾侧②法令，先后臣以言，欲臣之免也甚，而臣知之。及狱决罪定，公憱然不悦，形于颜色，臣见又知之。非私臣而然也，夫天性仁心固然也。此臣之所以悦而德公也。"

孔子曰："善为吏者树德，不能为吏者树怨。概者，平量者也；吏者，平法者也。治国者，不可失平也。"

【注释】

①恶（wù）：使孔子招致厌恶，此处引申为中伤。

②倾侧：此处引申为反复推敲。

【译文】

孔子在卫国担任宰相，他的弟子子皋担任监狱官，子皋砍掉了一个人的脚，并让被砍脚的人看守大门。有个人在卫君面前中伤孔子，说：“孔子打算叛变。”卫君打算捉拿孔子。孔子逃跑了，弟子们也都逃跑了。子皋跟着跑出门，被砍脚的守门人引导他逃到门边屋子里，官吏没有追捕到他。半夜时分，子皋询问被砍脚的守门人，说：“我因不能违抗君主的法令只能亲自砍掉你的脚，现在是你报仇的时候，但你为什么愿意指引我逃走？我凭什么能得到你的帮助呢？”被砍脚的守门人说：“我的脚被砍断，本来就是罪有应得，是没有办法的事情。当您依照刑法为我核定罪行时，您反复推敲法令，先后为我说话，很想免掉我的罪行，这些我也清楚。等到结案定罪时，您眉头紧皱心情不悦，这些都通过您的脸色表现出来了，我也清楚地看在眼里。您并不是对我有私心而这么做，而是与生俱来的仁爱之心让您这样。这便是我喜欢您并且对您感恩的原因。”

孔子说：“会做官的人懂得树立恩德，不会做官的人只会树立怨仇。概，是用来刮平测量器具用的；官吏，是用来公平执法的。治理国家的人，不能失去了公平。”

经二

恃势而不恃信，故东郭牙议管仲；恃术而不恃信，故浑轩非文公。故有术之主，信赏以尽能，必罚以禁邪，虽有驳行，必得所利。简主之相阳虎，哀公问“一足”。

【译文】

君主依赖权势而不依赖臣子的诚实，所以东郭牙才会议论管仲；君主依赖权术而不依赖臣子的诚实，所以浑轩才会非议晋文公的做法。因此懂得权术的君主，有功必赏才能让人尽数施展才能；有罪必罚才能禁止奸邪的事情发生；即使臣子有乱七八糟的行为，也一定有可以利用的地方。其中的道理在赵简子将阳虎任命为宰相，鲁哀公问“一足”该怎么理解这两则故事中得以体现。

说二

齐桓公将立管仲，令群臣曰：“寡人将立管仲为仲父。善者入门而左，不善者入门而右。”东郭牙中门而立。公曰：寡人立管仲为仲父，令曰：‘善者左，不善者右。’今子何为中门而立？”牙曰：“以管仲之智，为能谋天下乎？”公曰：“能。”“以断，为敢行大事乎？”公曰：“敢。”牙曰：“若知能谋天下，断敢行大事，君因专属之国柄焉。以管仲之能，乘公之势以治齐国，得无危乎？”公曰：“善。”乃令隰朋治内、管仲治外以相参。

晋文公出亡，箕郑挈壶餐[1]而从，迷而失道，与公相失，饥而道泣，寝[2]饿而不敢食。及文公反国，举兵攻原，克而拔之。文公曰：“夫轻忍饥馁之患而必全壶餐，是将不以原叛。”乃举以为原令。大夫浑轩闻而非之，曰：“以不动壶餐之故，怙其不以原叛也，不亦无术乎？”故明主者，不恃其不我叛也，恃吾不可叛也；不恃其不我欺也，恃吾不可欺也。

阳虎议曰：“主贤明，则悉心以事之；不肖，则饰奸而试之。”逐于鲁，疑于齐，走而之赵，赵简主迎而相之。左右曰：“虎善窃人国政，何故相也？”简主曰：“阳虎务取之，我务守之。”遂执术而御之。阳虎不敢为非，以善事简主，兴主之强，几至于霸也。

【注释】

①壶餐：指食物。

②寝：通“寖”，渐渐。

【译文】

齐桓公准备确立管仲为仲父，并对群臣下令道：

"我准备立管仲为仲父。赞成的人进门后站在左边，不赞成的人进门后站在右边。"东郭牙站在门中间。齐桓公说："我准备立管仲为仲父，下令说：'赞成的站左边，不赞成的站右边。'现在你为什么站在门中间？"东郭牙说："凭管仲的智慧，您认为他能够为天下而谋吗？"齐桓公说："能。""凭他的决断能力，您认为他敢做一番大事吗？"齐桓公说："敢。"东郭牙说："如果他的智慧能够为天下而谋，敢做一番大事，您因此就把国家权力都交给他。以管仲的才能，凭借您的权势来治理齐国，您不觉得这样很危险吗？"齐桓公说："说得对。"于是就命令隰朋治理朝廷内部的事务，管仲治理朝廷外部的事务，使两人互相牵制。

晋文公逃往国外，箕郑提着食物在后面跟着。箕郑迷路，和晋文公走散了，饿得在路上哭，饿得越来越厉害却不敢吃带来的食物。等到晋文公回到晋国，率兵攻打原国，打赢并占领了它。晋文公说："箕郑忍受饥饿的痛苦而坚决保全食物，这样的人将不会凭借原国的土地而叛变。"于是便提拔箕郑在原国当官。大夫浑轩听到后反对说："凭着不动食物的缘故，就相信他不会凭借原国的土地发动叛变，这不也是没有治国方法的表现吗？"因此，英明的君主依靠的不是别人不背叛我，而是我不可背叛；依靠的不是别人不欺骗我，而是我不可欺骗。

阳虎议论道："对贤明的君主，就要全心全力侍奉他；对不贤明的君主，就要掩饰邪念去试探他。"阳虎在鲁国被驱逐，在齐国受怀疑，又逃到赵国，赵简子欢迎他来赵国，并任用他当宰相。身边的侍从说："阳虎善于窃取别国的政权，为什么还要任用他当宰相？"赵简子说："阳虎致力于夺取政权，我就致力于维护政权。"于是运用权术去驾驭阳虎。阳虎不敢胡作非为，而且很好地侍奉赵简子，使赵简子强盛起来，几乎成为霸主。

经三

失臣主之理，则文王自履而矜。不易朝燕[1]之处，则季孙终身庄而遇贼。

【注释】

①燕：通"宴"，休闲，休息。

【译文】

不顾君臣之间的等级关系，周文王亲自把鞋带系好，还要自夸一番。不论是上朝还是休息都穿同一套衣服，季孙庄重一生却因一次意外而被害。

说三

文王伐崇，至凤黄虚[1]，袜系解，因自结。太公望曰："何为也？"王曰："上，君与处皆其师；中，皆其友；下，尽其使也。今皆先君之臣，故无可使也。"

一曰：晋文公与楚战，至黄凤之陵，履系解，因自结之。左右曰："不可以使人乎？"公曰："吾闻：上，君所与居，皆其所畏也；中，君之所与居，皆其所爱也；下，君之所与居，皆其所侮也。寡人虽不肖，先君之人皆在，是以难之也。"

季孙好士，终身庄，居处衣服常如朝廷。而季孙适懈，有过失，而不能长为也。故客以为厌易已，相与怨之，遂杀季孙。故君子去泰去甚。

一曰：南宫敬子问颜涿聚曰："季孙养孔子之徒，所朝服与坐者以十数，而遇贼，何也？"曰："昔周成王近优侏儒以逞其意，而与君子断事，是能成其欲于天下。今季孙养孔子之徒，所朝服而与坐者以十数，而与优侏儒断事，是以遇贼。故曰：不在所与居，在所与谋也。"

【注释】

①虚：通"墟"，指较大的土堆。

【译文】

周文王讨伐崇国途中，到达凤黄墟时，周文王的袜带散了，就自己系好。太公吕望说："这是为什么？”文王说：“对上等的人，君王和他们相处时都将他们视为自己的老师；对中等的人，都将他们视为自己的朋友；对下等的人，都将他们看作可供自己使唤的人。现在我的周围都是先王手下的旧臣，所以没有可以供我使唤的人。”

另一种说法：晋文公与楚国交战，到达黄凤陵时，鞋带散了，晋文公就自己系上。周边的侍从说：“不能指派别人来系吗？”晋文公说：“我听说：对上等的人，君主和他们相处在一起时，都是君主所敬重的；对中等的人，君主和他们相处在一起时，都是君主所爱惜的；对下等的人，君主和他们相处在一起时，都是君主所使唤的。我虽然不贤能，但先王的旧臣们都在场，因此我很难指派他们。”

季孙喜欢文人，庄重一生，日常的生活中都打扮得跟在朝廷里一样正式。然而，季孙有一次稍有疏忽，出了差错，没能长期保持下去。所以门客便认为季孙开始讨厌看轻自己了，大家都埋怨记恨他，于是把季孙杀了。因此，君子做事不可太过分、太极端。

另一种说法：南宫敬子问颜涿聚说：“季孙把孔子的门徒蓄养起来，穿着朝服跟他坐在一起的人数以十计，但他最后被刺杀了，这是为什么呢？”颜涿聚说：“昔日周成王亲近侏儒来放纵他的心神，并与君子决断大事，因此能够在天下范围内满足他的欲望。如今季孙蓄养孔子的门徒，虽然穿着朝服和他坐在一起的人数以十计，却和侏儒共同决断大事，所以被人刺杀了。所以说，不在于平时和什么人相处，而在于平时和什么人谋事。”

经四

利所禁，禁所利，虽神不行；誉所罪，毁所赏，虽尧不治。夫为门而不使入，委利而不使进，乱之所以产也。齐侯不听左右，魏主不听誉者，而明察照群臣，则钜不费金钱，孱不用璧。西门豹请复治邺，足以知之。犹盗婴儿之矜裘与跀危子荣衣。子绰左右画，去蚁驱蝇。安得无桓公之忧索官与宣主之患臞马也？

【译文】

让被禁的人得利，让得利的人被禁，即便是神仙也办不好这类事情；称赞受惩罚的人，诋毁获奖赏的人，即便是尧也治理不好国家。造了门又不让人进去，积累了财富又不让人获得，祸乱就因此而产生了。如果齐侯不听信身边人的谗言，魏王不听信那些赞誉者的话，而能洞察众多臣子的心理，那么钜就不用花费金钱、孱就不会花费碧玉去求官做了。从西门豹请求重新治理邺地这件事，就足以明白这个道理。就像偷盗者的孩子以他父亲的皮衣有尾巴而自豪，被砍断脚的人的孩子为他的父亲冬天不费裤子而感到荣耀。像子绰说的那样，人不能左手画方右手画圆，以及拿肉去赶走蚂蚁，拿鱼去驱赶苍蝇。不依法治国，怎么能不发生齐桓公为臣子纷纷索求做官而担忧，以及韩宣子为马变瘦而发愁之类的事呢？

说四

子绰曰："人莫能左画方而右画圆也。以肉去蚁，蚁愈多，以鱼驱蝇，蝇愈至。"

桓公谓管仲曰："官少而索者众，寡人忧之。"管仲曰："君无听左右之请，因能而受[①]禄，录功而与官，则莫敢索官。君何患焉？"

韩宣子曰："吾马菽粟多矣，甚臞，何也？寡人患之。"周市对曰："使驺尽粟以食[②]，虽无肥，不可得也。名为多与之，其实少，虽无臞，亦不可得也。主不审其情实，坐而患之，马犹不肥也。"

桓公问置吏于管仲，管仲曰："辩察于辞，清洁于货，习人情，夷吾不如弦商，请立以为大理。登降肃让，以明礼待宾，臣不如隰朋，请立以为大行。垦草仞邑，辟地生粟，臣不如宁戚，请以为大田。三军既成阵，使士视死如归，臣不如公子成父，请以为大司马。犯颜极谏，臣不如东郭牙，请立以为谏臣。治齐，此五子足矣；将欲霸王，夷吾在此。"

【注释】

①受：通“授”，给予、授予。

②食：通“饲”，喂养。

【译文】

子绰说：“没人能够在左手画方的同时用右手画圆。用肉去驱赶蚂蚁，蚂蚁会越来越多；用鱼去驱赶苍蝇，苍蝇更会纷纷飞来。”

齐桓公对管仲说：“官位少，但求官的人很多，我很担心这种情况。”管仲说：“您不要听从身边人的请求，而是根据能力而授予俸禄，根据记录的功劳而确定官职，就没人敢索求官职了。您还担心什么？”

韩宣子说：“我的马饲料充足，却长得很瘦，这是什么原因？我为此感到担心。”周市回答说：“让养马的人把饲料都用在喂马上，不想让它肥都不可能。名义上给马喂得多，实际上却喂得少，不想让它瘦都不可能。君王没有审查出事情的真相，就坐在那里担忧，马还是不会长肥的。”

齐桓公向管仲询问安置官吏的事情，管仲说：“能清楚辨别诉讼双方的言辞，清廉不贪钱财，懂得人情世故，我比不上弦商，请您将他任命为主管监狱的官吏。恭敬谦让地从台阶走出大堂，用恰当的礼仪接待宾客，我比不上隰朋，请您将他任命为主管礼宾的官吏。开垦荒地创立城市，开垦田地种植粮食，我比不上宁戚，请您将他任命为主管农业的官吏。三军已经摆开阵仗，让战士个个视死如归，我比不上公子成父，请您将他任命为主管军政的官吏。冒犯龙颜仍极力劝谏，我比不上东郭牙，请您将他任命为主管谏言的官吏。治理好齐国，有这五个人就足够了；如果要成就霸王之业，我管仲就在这里。”

经五

臣以卑俭为行，则爵不足以观赏；宠光无节，则臣下侵逼。说在苗贲皇非献伯，孔子议晏婴。故仲尼论管仲与孙叔敖。而出入之容变，阳虎之言见其臣也。而简主之应人臣也失主术。朋党相和，臣下得欲，则人主孤；群臣公举，下不相和，则人主明。阳虎将为赵武之贤、解狐之公，而简主以为枳棘，非所以教国也。

【译文】

臣子的行为谦恭节俭，那么爵位就不足以鼓励他们；君主的宠爱与表扬如果不加节制，臣子就会受到危害，对君主构成威胁。有关的解说在苗贲皇非难献伯、孔子议论晏婴两则故事中得以体现。所以孔子要议论管仲和孙叔敖。在职与逃跑时的态度截然不同，阳虎这番话是说给他推荐的那些臣子听的。赵简子答复臣子那些话失去了君主应当掌握的权术。朋党之间相互应和，臣子的私欲能够得以实现，而君主却因此而孤立；群臣都推举功成名就的人，下面不互相拉拢，君主就能明察。阳虎想做到赵武那般贤能、解狐那样公允，而赵简子却认为是栽了多刺的枳树，这实在不是教化国人的好方法。

说五

孟献伯相晋，堂下生藿藜[①]，门外长荆棘，食不二味，坐不重席，晋[②]无衣帛之妾，居不粟马，出不从车。叔向闻之，以告苗贲皇。贲皇非之曰："是出主之爵禄以附下也。"

一曰：孟献伯拜上卿，叔向往贺，门有御，马不食禾。向曰："子无二马二舆，何也？"献伯曰："吾观国人尚有饥色，是以不秣马；班[③]白者多以徒行，故不二舆。"向曰："吾始贺子之拜卿，今贺子之俭也。"向出，语苗贲皇曰："助吾贺献伯之俭也。"苗子曰："何贺焉？夫爵禄旗章，所以异功伐别贤不肖也。故晋国之法，上大夫二舆二乘，中大夫二舆一乘，下大夫专乘，此明等级也。且夫卿必有军事，是故修车马，比卒乘，以备戎事。有难则以备不虞；平夷则以给朝事。今乱晋国之政，乏不虞之备，以成节，以絜[④]私名，献伯之俭也可与？又何贺？"

管仲相齐，曰：“臣贵矣，然而臣贫。”桓公曰：“使子有三归之家。”曰：“臣富矣，然而臣卑。”桓公使立于高、国之上。曰：“臣尊矣，然而臣疏。”乃立为仲父。孔子闻而非之曰：“泰侈逼上。”

一曰：管仲父出，朱盖青衣，置鼓而归，庭有陈鼎，家有三鼎。孔子曰：“良大夫也，其侈逼上。”

孙叔敖相楚，栈车牝马，粝饼菜羹，枯鱼之膳，冬羔裘，夏葛衣，面有饥色，则良大夫也。其俭逼下。

【注释】

①藿藜：泛指野草。

②晋：通“进”，此处与“外”相对。

③班：通“斑”。

④絜：通“洁”。

【译文】

孟献伯担任晋国宰相，大院里长出野草，大门外生出荆棘，吃饭时不摆两种菜，席地而坐时不垫双层席，家中没有穿丝织品的妻妾，平时不用谷物喂马，外出没有副车跟从。叔向听说后，把这件事告诉给苗贲皇。苗贲皇对孟献伯非议道：“这是弃君主的俸禄于不顾，而将它赏赐讨好下人。”

另一种说法：孟献伯被封为晋国上卿，叔向前去祝贺，孟家门外停着车马，马不吃谷子。叔向说：“您只有一匹马、一辆车，这是为什么？”孟献伯说：“我看到国人脸上还面露饥色，因此不喂马吃谷；看到大多数头发斑白的老人还在步行，所以不用两辆车。”叔向说：“我最初是来祝贺您封为上卿的，现在要祝贺您的节俭了。”叔向出来后，告诉苗贲皇说：“您帮助我去祝贺孟献伯的节俭吧。”苗贲皇说：“这有什么好祝贺的？官爵俸禄和旗帜是用来标明功劳大小、区别贤能与否的。所以晋国的礼法是，上大夫配两辆马车两辆副车。中大夫拥有两辆马车一辆副车，下大夫拥有一辆马车。这是用来明示官职等级的。再说卿一定要掌管军事，所以要整修车马，训练步卒与练习战车，为打仗做好准备。国家有难，凭借充足的准备才能没有隐患，国家太平，也可以用来上朝议事。孟献伯现在扰乱晋国的政事，不为意外事件做准备，用这些来成就个人的节俭，让他个人的名声得以光耀，孟献伯的这种节俭是应该的吗？有什么好庆贺的呢？”

管仲担任齐国宰相，说：“我名声尊贵了，但我还很贫穷。”齐桓公说：“我让你享有齐国三成的税收。”管仲说：“我富有了，但我地位还很低下。”齐桓公把管仲的地位提到高氏、国氏两大贵族之上。

管仲说："我地位尊贵了，但我和您的关系还很疏远。"于是齐桓公立管仲为仲父。孔子听到后认为这样做不对："管仲太过分了，已经威胁到君主了。"

另一种说法：管仲出门时，坐着红色车盖、青色车身的车，回来时敲鼓奏乐，庭院中陈列着大鼎，家里拥有齐国十分之三的税收。孔子说："管仲是个好大夫，但他对君主造成的威胁太大了。"

孙叔敖在楚国担任宰相，坐的是母马拉的普通车子，吃的是粗粮、野菜汤和鱼干这些膳食。冬天穿着羊羔皮，夏天穿着粗布衣，面露饥色。他的确是个好大夫，但因太过于节俭，对下面的官员造成了威胁。

经六

公室卑则忌直言，私行胜则少公功。说在文子之直言，武子之用杖；子产忠谏，子国谯怒；梁车用法而成侯收玺；管仲以公而国人谤怨。

【译文】

公室实力衰弱就忌讳直说；谋私的行为盛行就少有人为公事立功。有关的解说在范文子喜欢直说，父亲武子就用手杖打他；子产忠君进谏，但父亲子国愤怒地指责他；梁车依法处罚他的姐姐而赵成侯却收回了他的官印；管仲以公心待人却遭到边防官的怨恨的故事中得以体现。

说六

范文子喜直言，武子击之以杖：“夫直议者不为人所容，无所容则危身，非徒危身，又将危父。”

子产者，子国之子也。子产忠于郑君，子国谯怒之曰：“夫介异于人臣，而独忠于主。主贤明，能听汝；不明，将不汝听。听与不听，未可必知，而汝已离于群臣；离于群臣，则必危汝身矣。非徒危己也，又且危父也。”

梁车新为邺令，其姊往看之，暮而后，门闭，因逾郭而入。车遂刖其足。赵成候以为不兹，夺之玺而免之令。

管仲束缚，自鲁之齐，道而饥渴，过绮乌封人[①]而乞食。乌封人跪而食之，甚敬。封人因窃谓仲曰：“适幸，及齐不死而用齐，将何报我？”曰：“如子之言，我且贤之用，能之使，劳之论。我何以报子？”封人怨之。

【注释】

①封人：守边疆的官吏。

【译文】

范文子喜欢有话直说，他的父亲武子便用手杖打他：“有话直说的人难以被他人接受，不被人接受就容易危及自身，不仅危及自身，还将危及父亲。”

子产是子国的儿子，子产对郑国国君非常忠诚，子国愤怒地指责他说：“你在众多臣子中间显得与众不同，唯独对君主忠心耿耿。贤明的君主，或许能听从于你；不贤明的君主，就不会听从于你。到底听还是不听，还不一定能知道，但你却已经从众多臣子之中脱离出来了。脱离了众多臣子，就一定会对自身造成威胁。不只是对你自己造成威胁，还将对父亲造成威胁。”

梁车刚被任命为邺县县令，他的姐姐想去看望他。黄昏过后，城门已关，因此她翻过城墙才进了城。梁车因此而依法砍断了她的脚。赵成侯认为梁车不够仁慈，就将他的官印收回，并罢免他的职位。

管仲被捆束起来，从鲁国押到齐国，路上饥渴难耐，路过绮乌边防时，他就向边防官讨饭吃。绮乌边防官跪着给管仲送饭，非常恭敬。边防官悄悄地对管仲说：“如果你足够幸运，能够活着走到齐国并能为齐国任用，你该怎样报答我呢？”管仲说：“要是真像你所说那样，我将任用有贤德的人，使用有能力的人，对有功劳的人论功行赏，我能用什么来报答你呢？”边防官因此而怨恨管仲。

外储说右上（节选）

【题解】

本篇主要从势、术、法三个方面的运用来讲述君王控制臣子的道理。

【原文】

君所以治臣者有三：

经一

势不足以化则除之。师旷之对，晏子之说，皆舍势之易也而道行之难，是与兽逐走也，未知除患。患之可除，在子夏之说《春秋》也："善持势者，蚤绝其奸萌。"故季孙让仲尼以遇势，而况错[①]之于君乎？是以太公望杀狂矞，而臧获[②]不乘骥。嗣公知之，故不驾鹿；薛公知之，故与二栾博。此皆知同异之反也。故明主之牧臣也，说在畜鸟。

【注释】

①错：通"措"，安置，放置。

②臧获：奴婢。臧为奴，获为婢。

【译文】

君主用来控制臣下的办法有三种：

不能用权势驯化的臣子就应该除掉。师旷的回答、晏婴的说辞，都舍弃了利用权势控制臣子这种易行的办法，而控制臣子的方法推行起来非常难，这就跟野兽赛跑一样，不知道除掉祸患。祸害能够除掉，这一点在子夏解释《春秋》时就已经表达出来了：“善于掌握权势的君主，及早将臣子作奸的苗头断绝。”所以，季孙为孔子的门徒滥用权势而指责孔子，何况把这样的事情放在君主身上呢？因此，姜太公要杀掉狂矞，就像奴仆不骑不受使唤的马一样。卫嗣公懂得这个道理，所以拿鹿不能驾车来类证不能任用如耳为相；薛公懂得这个道理，所以跟一对孪生兄弟赌博时用权术收服他们。这些人都懂得君臣之间利害关系是相反的，所以英明的君主会对臣子加以控制，这在驯养乌鸦的故事中得以体现。

说一

赏之誉之不劝，罚之毁之不畏，四者加焉不变，则其除之。

齐景公之晋，从平公饮，师旷侍坐。景公问政于师旷曰：“太师将奚以教寡人？”师旷曰：“君必惠民而已。”中坐，酒酣，将出，又复问政于师旷曰：“太师奚以教寡人？”曰：“君必惠民而已矣。”景公出之舍，师旷送之，又问政于师旷。师旷曰：“君必惠民而已矣。”景公归，思，未醒，而得师旷之所谓——公子尾、公子夏者，景公之二弟也，甚得齐民，家富贵而民说之，拟于公室，此危吾位者也。今谓我惠民者，使我与二弟争民邪？——于是反国，发廪粟以赋众贫，散府余财以赐孤寡，仓无陈粟，府无余财，宫妇不御者出嫁之，七十受禄米。鬻德惠施于民也，已与二弟争。居二年，二弟出走，公子夏逃楚，公子尾走晋。

景公与晏子游于少海，登柏寝之台而还望其国曰：“美哉！泱泱乎，堂堂乎！后世将孰有此？”晏子对曰：“其田成氏乎！”景公曰：“寡人有此国也，而曰田成氏有之，何也？”晏子对曰：“夫田成氏甚得齐民。其于民也，上之请爵禄行诸大臣，下之私大斗斛区釜以出贷，小斗斛区釜以收之。杀一牛，取一豆①肉，余以食士。终岁，布帛取二制②焉，余以衣士。故市木之价不加贵于山；泽之鱼监龟鳖蠃蚌，不贵于海。君重敛，而田成氏厚施。齐尝大饥，道旁饿死者不可胜数也，父子相牵而趋田成氏者，不闻不生。故秦周之民相与歌之曰：‘讴乎，其已乎！苞乎，其往归田成子乎！’《诗》曰：‘虽无德与女，式歌且舞。’今田成氏之德而民之歌舞，民德归之矣。故曰：‘其田成氏乎！’”公泫然出涕曰：“不亦悲乎！寡人有国而田成氏有之。今为之奈何？”晏子对曰：“君何患焉？若君欲夺之，则近贤而远不肖，治其烦乱，缓其刑罚，振贫穷而恤孤寡，行恩惠而给不足，民将归君，则虽有十田成氏，其如君何？”

或曰：景公不知用势，而师旷、晏子不知除患。夫猎者托车舆之安，用六马之足，使王良佐辔，则身不劳而易及轻兽矣。今释车舆之利，捐六马之足与王良之御，而下走逐兽，则虽楼季之足无时及兽矣。托良马固车，则臧获有余。国者，君之车也；势者，君之马也。夫不处势以禁诛擅爱之臣，而必德厚以与天下齐行以争民，是皆不乘君之车，不因马之利，舍车而下走者也。故曰：景公不知用势之主也，而师旷、晏子不知除患之臣也。

子夏曰：“《春秋》之记臣杀君、子杀父者，以十数矣。皆非一日之积也，有渐而以至矣。”凡奸者，行久而成积，积成而力多，力多而能杀，故明主蚤绝之。今田常之为乱，有渐见矣，而君不诛。晏子不使其君禁侵陵之臣，而使其主行惠，故简公受其祸。故子夏曰：“善持势者，蚤绝奸之萌。”

【注释】

①豆：一种形似高脚盘的器皿，古代多用来盛肉。

②制：古代布帛长度单位，一制约三丈六尺。

【译文】

奖赏、称赞无法让他得到勉励，惩罚、谴责无法让他感到畏惧，奖赏、称赞、惩罚、责备等加到身上都无济于事的臣子就应当除掉。

齐景公到晋国去，和晋平公一块儿饮酒，师旷在旁边陪坐。齐景公向师旷请教治理国事的方法，说：“您将教我什么呢？”师旷说：“您一定要为民众施恩惠。”喝酒喝到一半的时候，酒意正浓，齐景公又向师旷请教治理国事的方法：“您将教我什么呢？”师旷说：“您一定要为民众施恩惠。”景公出门走回住处，师旷护送他。齐景公又向师旷请教如何治理国事的问题。师旷说：“您一定要为民众施恩惠！”齐景公回到住处，琢磨着这句话，酒还没醒，就明白了师旷话中的意思——公子尾、公子夏是齐景公的两个弟弟，他们深得齐国的民心。他们私人的家庭非常富贵，又深得人民喜欢，可以和公室相比，这是危及君主地位的事情。现在叫我为民众施恩惠，大概就是让我跟两个弟弟争夺民众吧？——于是齐景公回到齐国后，打开粮仓，将粮食分给贫困百姓，将金库中的多余钱财发给没有依靠的人家。粮仓中没有陈年的口粮，金库中没有多余的钱财，没有被君主临幸过的宫女就嫁出宫去，七十岁以上的人可以分到国家发放的粮食。这就是为民众施恩惠，用来与两个弟弟争夺民众。两年后，两个弟弟逃到国外，公子夏逃到楚国，公子尾逃到晋国。

齐景公和晏子去渤海游玩，齐景公登上柏寝台，回头向自己的国都眺望，说："真美啊！气势宏大啊！雄伟壮观啊！后代谁还能拥有这样的国都啊？"晏子回答说："可能是田成子吧！"景公说："我拥有这个国都，你却说田成子会拥有，这是为什么呢？"晏子回答说："田成子深得齐国民心。他对待民众，向上请求君主赐给大臣爵位俸禄，向下私自增大量器标准借出粮食，却缩小量器标准来回收。杀一头牛，自己只拿一盘肉，剩下的都分给士人。一整年的布帛，自己只取七丈二尺布，剩下的也都分给士人。所以集市上木头的价格没比山上的贵很多，湖泊里的鱼、盐、龟、鳖、螺、蚌的价格也不比海边的贵。您重视敛收财富，而田成子更重视施与恩泽。齐国曾经遭遇特大饥荒，路边饿死的人不计其数，父子携手投奔田成子的，没听说过有活不下去的，所以全国民众都聚在一起歌颂他：'哎呀，快要完了吧！算了，还是去投奔田成子吧！'《诗经》上说：'虽然没有施给你们什么恩德，你们却高兴得载歌载舞。'

现在从田成子的恩德和民众的歌舞来看，他就是民众恩德的归向了。所以说：‘大概是田成子吧。’”齐景公的眼泪夺眶而出，说：“我不是太悲哀了吗！我所拥有的国家却要被田成子占去了。现在我该怎么办呢？”晏子回答说：“您担心什么呢？如果您想夺回它，就亲近贤能的人远离不贤的人，治理混乱的局势，放宽刑罚，救济贫困，抚恤孤寡，广施恩泽，资助穷人，民众就会归附于您。那么即使有十个田成子，他又能比得上您吗？”

有人说：齐景公不会使用权势，师旷、晏子不懂得除去祸患。打猎的人凭借车子的安稳，依靠六匹马的脚力，让王良帮助驾车，自己不费吹灰之力就能轻易追上敏捷的野兽。现在舍弃车子的便利，舍弃六匹马的脚力，不让王良来驾驭，而是下车跑着追逐野兽，那么即使拥有楼季那样的脚力也永远不会有追上野兽的时候。依靠好马和稳固的车子，哪怕是奴仆驾车追赶野兽，力量也有富余。国家就好比君主的车，权势就好比君主的马。不懂得运用权势来对那些擅施仁爱的臣子加以限制处罚，而一味用丰厚的恩惠这种跟普通人一样的做法去争取民众，这样的做法，都是不利用君主的车子，不依靠马的便利，将车子丢掉而下地奔跑一样的表现。所以说：齐景公是不懂得运用权势的君主，而师旷、晏子是不懂得除去祸患的臣子。

子夏说："《春秋》上记载的臣子弑君、儿子弑父的事件数以十计。这不是一天就积累起来的，而是逐渐积累起来才变成这样的。"但凡奸人，搞阴谋活动的时间长了，势力就有所积累；积累多了，力量就强大；力量强大了，就能杀人，所以英明的君主要趁早将他们消灭。现在田成子作乱的苗头显露出来了，君主却不把他杀掉。晏子不让他的君主把侵权犯法的臣子除掉，却让他的君主一味施行恩惠，所以齐简公遭受到祸害。所以子夏说："善于掌握权势的人，要及早将臣子作奸的苗头断绝。"

经二

人主者，利害之轺毂也，射者众，故人主共矣。是以好恶见[1]则下有因，而人主惑矣；辞言通则臣难言，而主不神矣。说在申子之言"六慎"，与唐易之言弋也。患在国羊之请变，与宣王之太息也。明之以靖郭氏之献十珥也，与犀首、甘茂之道穴闻也。堂谿公知术，故问玉卮；昭侯能术，故以听独寝。明主之道，在申子之劝"独断"也。

【注释】

①见：同"现"，表现出。后文"明见""知见"等，亦同。

【译文】

君主就像是积聚利害的车毂一样，众人追逐利益的欲望都像车轮的辐条一样射向车毂，所以君主是众人共同瞄准的目标。因此，君主如果将爱憎表现出来，臣子就会加以利用，君主就容易被迷惑；君主如果将听到的话泄露出去，臣子向君主进言就成了一件难事，君主也就不再如同神明一般了。有关的解说在申不害谈论君主应该谨慎小心的六个方面，以及唐易鞠谈论射飞禽必须谨慎的故事中得以体现。不这样做的祸患表现在国羊用悔改的方法来试探君主对他的态度，以及韩宣王的近侍从叹息声中窥探到他的态度两则故事中。阐明上述观点的有靖郭君用十个玉珥来测试齐威王宠爱哪个妾女，以及甘茂派人从小孔中偷听到秦惠王的话语从而设计陷害公孙衍。堂谿公懂得谋术，所以才用“玉杯无底”来说明君主不可泄露臣子所说的话；韩昭侯懂得谋术，所以才能听取堂谿公的意见而独自睡觉避免泄密。英明君主的治国原则体现在申不害劝诫君主遇事应独自决断的议论里。

说二

申子曰：“上明见，人备之；其不明见，人惑之。其知见，人饰之；不知见，人匿之。其无欲见，人司[①]之；其有欲见，人饵之。故曰：吾无从知之，惟无为可以规[2]之。”

一曰：申子曰：“慎而言也，人且知女；慎而行也，人且随女。而有知见也，人且匿女；而无知见也，人且意女。女有知也，人且臧[3]女；女无知也，人且行女。故曰：惟无为可以规之。”

【注释】

①司：通“伺”，探查，侦测。

②规：通“窥”，窥视，窥探。

③臧：通“藏”，躲避。

【译文】

申不害说：“君主如果将明察显露出来，人们就会对他加以防备；君主如果将糊涂显露出来，人们就会对他进行迷惑。君主如果将智慧显露出来，人们就会对他进行美化；君主如果将愚蠢显露出来，人们就会试图蒙蔽他。君主如果没将欲望显露出来，人们就会对他进行试探；君主如果将欲望显露出来，人们就会试图引诱他。所以说：我无法知道其中的奥妙，只有无为能窥测其中的端倪。”

另一种说法：申不害说：“你说话谨慎了，人们就会试探你；行动谨慎了，人们就会跟踪你。智慧显露出来了，人们就会避开你；愚蠢显露出来了，人们就会算计你。有智慧，人们就躲着你；没有智慧，人们就会对你有所行动。所以说：只有无为能探测出其中的玄机。”

经三

术之不行，有故。不杀其狗，则酒酸。夫国亦有狗，且左右皆社鼠[①]也。人主无尧之再诛，与庄王之应太子，而皆有薄媪之决蔡妪也。知贵、不能，以教歌之法先揆之。吴起之出爱妻，文公之斩颠颉，皆违其情者也。故能使人弹疽者，必其忍痛者也。

【注释】

①社鼠：指藏匿于土地神坛的老鼠。

【译文】

治理国家的方法不能得以推行，其中是有原因的。卖酒的人不把他的恶狗杀掉，酒就会发酸。国家也有恶狗，何况君主身边的近侍都像是藏在社坛里的老鼠。一般的君主都无法像尧那样，一再杀掉反对自己决定的人；不能像楚庄王应答太子时那样，将坚决执法的臣子视为最优秀的臣子；而是都像薄媪那样，做自家的决定都要让蔡巫婆来决断。要将贤能的人和无能的人区分开来，就要用教歌一类的方法先进行测试。吴起因为爱妻织的布不合规定而休了她，晋文公因爱臣颠颉违反法令而杀了他，他们都违背了自己的感情。所以能让人治好自己毒疮的人，一定是能够忍受痛苦的人。

说三

宋人有酤酒者，升[①]概甚平，遇客甚谨，为酒甚美，县帜甚高著，然不售，酒酸。怪其故，问其所知，问长者杨倩，倩曰："汝狗猛耶？"曰："狗猛则酒何故而不售？"曰："人畏焉。或令孺子怀钱挈壶罋[②]而往酤，而狗迓而龁之，此酒所以酸而不售也。"夫国亦有狗，有道之士怀其术而欲以明万乘之主，大臣为猛狗迎而龁之，此人主之所以蔽胁，而有道之士所以不用也。故桓公问管仲："治国最奚患？"对曰："最患社鼠矣。"公曰："何患社鼠哉？"对曰："君亦见夫为社者乎？树木而涂之，鼠穿其间，掘穴托其中。熏之，则恐焚木；灌之，则恐涂阤[③]：此社鼠之所以不得也。今人君之左右，出则为势重而收利于民，入则比周而蔽恶于君。内间主之情以告外，外内为重，诸臣百吏以为富。吏不诛则乱法，诛之则君不安。据而有之，此亦国之社鼠也。"故人臣执柄而擅禁，明为己者必利，而不为己者必害，此亦猛狗也。夫大臣为猛狗而龁有道之士矣，左右又为社鼠而间主之情，人主不觉。如此，主焉得无壅，国焉得无亡乎？

一曰：宋之酤酒者有庄氏者，其酒常美。或使仆往酤庄氏之酒，其狗龁人，使者不敢往，乃酤佗家之酒。问曰：“何为不酤庄氏之酒？”对曰：“今日庄氏之酒酸。”故曰：“不杀其狗则酒酸。”桓公问管仲曰：“治国何患？”对曰：“最苦社鼠。夫社，木而涂之，鼠因自托也。熏之则木焚，灌之则涂阤，此所以苦于社鼠也。今人君左右，出则为势重以收利于民，入则比周谩侮蔽恶以欺于君，不诛则乱法，诛之则人主危，据而有之，此亦社鼠也。”故人臣执柄擅禁，明为己者必利，不为己者必害，亦猛狗也。故左右为社鼠，用事者为猛狗，则术不行矣。

【注释】

①升：此处指量酒用的器具。

②甕（wènɡ）：一种瓦制器具，用来盛酒。

③阤（zhì）：败坏，毁坏。

【译文】

有个卖酒的宋国人，量酒非常公平，接待顾客非常殷勤，酿造的酒也非常甘美，酒旗悬挂得非常高，但是酒卖不出去，都变酸了。卖酒的人感到奇怪，不知原因何在，就向他认识的人询问，问到老人杨倩时，杨倩说：“你养的狗凶吗？”他说：“狗凶为什么就卖不出酒呢？”杨倩说：“人们怕狗呀。有的人让小孩子拿着钱提着酒壶去买酒，凶恶的狗却迎上来就要咬他。这就是酒发酸也卖不出去的原因。”国家也有恶狗。懂得治国之道的法术之士想让大国的君主变得明察，而大臣却像恶狗一样迎上去乱咬，这也就是君主被挟持蒙蔽，而法术之士无法得以重用的原因。所以齐桓公询问管仲：“治理国家最担心的是什么？”管仲回答说：“最担心社坛里的老鼠呀。”桓公说：“为什么要担心社坛里的老鼠呢？”管仲回答说：“您也见过建造社坛吧？把木头立起来并且糊上泥巴，老鼠把木头咬穿后，在里面挖洞藏身。用烟火熏它又担心木头会因此而被烧毁，用水灌它又怕糊上的泥巴脱落：这就是抓不到社鼠的原因。现在君主的左右近侍们，出了朝廷就任用权势，从民众那里搜刮利益；回到朝廷就紧密勾结，对君主隐瞒罪恶。在宫内打探君主的消息并密告给宫外的党羽，内外相勾结，群臣百官以此获得富贵。官吏不诛杀他们，国家法度就要受到干扰；诛杀他们，则又让君主不得安宁。他们控制并挟持着君主，所以他们也就是国家的社鼠啊。”所以臣子手拿权柄，操控法度，向外人表明：为他效力就能得到好处，不为他效力必会遭受迫害，这也就是恶狗。大臣像恶狗一样对法术之士加以迫害，左右近侍又像社鼠一样从君主身边打探内情，君主却丝毫没有察觉。这样一来，君主怎能不被蒙蔽，国家又怎能不走向衰亡呢？

另一种说法：宋国有个叫作庄氏的酒贩，他酿的酒一向甘美。有人派仆人去庄氏那儿买酒，庄氏养的狗乱咬人，仆人不敢去，就去别家买酒。有人问道："为什么不去买庄氏酿的酒？"仆人回答说："今天庄氏的酒酸了。"所以说，不杀掉庄氏的恶狗，酒就会变酸。齐桓公问管仲说："治理国家最担心的是什么？"管仲回答说："最让人苦恼的是社鼠。修筑社坛时，立了木头，糊上泥巴，老鼠乘机将窝打在里面。用烟熏它，木头就会烧坏；用水灌它，泥巴就会脱落。这就是人们苦恼于社鼠的原因。现在君主的左右近侍们，出了朝廷就任用权势，从民众那里搜刮利益；回到朝廷就紧密勾结，对君主隐瞒罪恶。不诛杀他们，国家法度就要受到干扰；诛杀他们，则又让君主陷入危险的境地。他们控制并挟持着君主，所以他们就是社鼠了。"所以臣子手拿权柄，操控法度，向外人表明：为他效力就能得到好处，不为他效力必会遭受迫害，这也就是恶狗。所以身边的左右近侍像社鼠，手握重权的大臣像恶狗，治国的法术就无法推行了。

外储说右下（节选）

【题解】

本篇由五段“经”“说”组成，讲君主应对臣子的五种谋术。

【原文】

经一

赏罚共则禁令不行。何以明之？明之以造父、于期。子罕为出彘，田恒为圃池，故宋君、简公弑。患在王良、造父之共车，田连、成窍之共琴也。

【译文】

如果赏罚大权为君主和臣子共同掌握，那么法令就无法推行。用什么来阐明这个道理呢？用造父驾车的马被突然窜出的猪所惊吓而失去控制，王良驾车的马被草场和水池所吸引而失去控制的例子即可。子罕就像突然跑出来的猪，田恒就像草场和水池，所以宋君和齐简公最终会被他们杀害。其中的祸患表现在王良与造父驾驭同一辆车而无法指挥马，田连、成窍合奏一张琴而曲调不和。

说一

造父御四马，驰骤周旋而恣欲于马。恣欲于马者，擅辔策之制也。然马惊于出彘而造父不能禁制者，非辔策之严不足也，威分于出彘也。王子于期为驸驾，辔策不用而择欲于马，擅刍水之利也。然马过于圃池而驸驾败者，非刍水之利不足也，德分于圃池也。故王良、造父，天下之善御者也，然而使王良操左革[①]而叱咤之，使造父操右革而鞭笞之，马不能行十里，共故也。田连、成窍，天下善鼓琴者也，然而田连鼓上、成窍擑[②]下而不能成曲，亦共故也。夫以王良、造父之巧，共辔而御不能使马，人主安能与其臣共权以为治？以田连、成窍之巧，共琴而不能成曲，人主又安能与其臣共势以成功乎？

一曰：造父为齐王驸驾，渴马服成，效驾圃中。渴马见圃池，去车走池，驾败。王子于期为赵简主取道争千里之表，其始发也，彘伏沟中，王子于期齐辔策而进之，彘突出于沟中，马惊驾败。

【注释】

①革：通“勒”，指带有咬口的马笼头。

②擑（jiē）：用手指按住。

【译文】

造父驾驭四匹马拉车，时而奔驰向前，时而绕圈周旋，驾驭马匹得心应手。之所以能得心应手地驾驭马匹，是因为能独自运用缰绳和马鞭。然而马被突然跑出来的猪吓到了，造父无法控制，并不是因为缰绳和马鞭的威力不足，而是跑出来的猪分散了这种威力。王良驾驭副车，不使用缰绳和马鞭，而是依照马的喜好，独自用马饲料和水进行控制。然而经过草场和水池边时副车失去控制，并不是马饲料和水不备足，而是草场和水池分散了马的注意力。所以，王良、造父是普天之下驾驭马车的能手，然而让王良抓着马笼头的左边大声呵斥，让造父抓着马笼头的右边用马鞭抽打，马可能连十里都走不到，这是因为两个人共同驾驭一辆马车。田连、成窍都是普天之下擅长弹琴的人，然而让田连在琴首弹琴，让成窍在琴尾按弦，最终却无法和成一曲，这也是因为两个人共同演奏一张琴。以王良、造父的高超技能，共用一根缰绳却驾驭不了马，君主又如何能跟他的臣子以共同掌权的方式来治理国家呢？以田连、成窍的巧妙琴技，共同演奏一张琴却弹不出一首曲子，君主又怎么能与臣子共用势力来成就功业呢？

另一种说法：造父是齐王副车的车夫，用让马口渴的方法成功地训练了一匹马，在草场里试着驾车。口渴的马看见了草场中的池塘，撇下车子跑到池塘边，试驾因此失败。王良替赵简子驾车争取千里路途的锦标。车子刚刚出发时，有一头猪埋伏在水沟里，等王良快马加鞭向前进发时，那头猪便从沟里突然冲了出来，马受到惊吓，驾车失败了。

经二

治强生于法，弱乱生于阿，君明于此，则正赏罚而非仁下也。爵禄生于功，诛罚生于罪，臣明于此，则尽死力而非忠君也。君通于不仁，臣通于不忠，则可以王矣。昭襄知主情而不发五苑[1]，田鲔知臣情故教田章，而公仪辞鱼。

【注释】

①苑：古代专供帝王游猎的场所。

【译文】

安定和强盛因法度而生，衰弱和混乱因枉法而生，君主明白这个道理，就应该公正地施行奖赏与惩罚，而不要一味用仁爱之心对待臣民。爵位和俸禄来自于立下的功劳，杀戮和惩罚来自违反的罪行，臣子明白这个道理，就会拼命努力而不是一味对君主效私忠。君主通晓不讲仁爱的道理，臣子通晓不效私忠的道理，就可以于天下称王了。秦昭襄王懂得做君主的道理，所以不将五苑的瓜果蔬菜分发给民众；田鲔懂得做臣子的道理，所以教育田章凡事从利害出发；公仪休虽然喜欢吃鱼却不接受别人馈赠的鱼。

说二

秦昭王有病，百姓里买牛而家为王祷。公孙述出见之，入贺王曰："百姓乃皆里买牛为王祷。"王使人问之，果有之。王曰："訾[①]之人二甲。夫非令而擅祷，是爱寡人也。夫爱寡人，寡人亦且改法而心与之相循者，是法不立；法不立，乱亡之道也。不如人罚二甲而复与为治。"

一曰：秦襄王病，百姓为之祷；病愈，杀牛塞祷。郎中阎遏、公孙衍出见之，曰："非社腊之时也，奚自杀牛而祠社？"怪而问之。百姓曰："人主病，为之祷；今病愈，杀牛塞祷。"阎遏、公孙衍说，见王拜贺曰："过尧、舜矣。"王惊曰："何谓也？"对曰："尧、舜其民未至为之祷也。今王病而民以牛祷；病愈杀牛塞祷。故臣窃以王为过尧、舜也。"王因使人问之，何里为之，訾其里正与伍老屯二甲。阎遏、公孙衍愧不敢言。居数月，王饮酒酣乐，阎遏、公孙衍谓王曰："前时臣窃以王为过尧、舜，非直敢谀也。尧、舜病，且其民未至为之祷也；今王病，而民以牛祷，病愈，杀牛塞祷。今乃訾其里正与伍老屯二甲，臣窃怪之。”王曰：“子何故不知于此？彼民之所以为我用者，非以吾爱之为我用者也，以吾势之为我用者也。吾释势与民相收，若是，吾适不爱而民因不为我用也，故遂绝爱道也。”

【注释】

①訾（zī）：通“赀”，一种小的惩罚，用财产赎罪。

【译文】

秦昭襄王生病，每个里弄的百姓家庭都买牛来为君王祈祷。公孙述出门见到这种情形，进宫后祝贺秦昭襄王说：“每个里弄的百姓家庭都买牛为您祈祷。”秦昭襄王派人去询问，果然有这回事。秦昭襄王说：“罚他们每人出两副盔甲。没有命令而擅自祈祷，这确实是爱我。他们爱我，我要是也改变法令，用同样的心去爱他们，这样法制就无法建立；无法建立，就会走上混乱亡国的道路。不如每个人罚交两副盔甲，重新和他们一道搞好国家的治理。”

另外一种说法：秦昭襄王生病了，百姓都为他祈祷；病好之后，百姓杀牛向神灵还愿。郎中阎遏、公孙衍出门见到这种情况，说：“现在并不是祭土地神的时候，也不是做腊祭的时候，为什么要杀牛来祭祀呢？”他们感到奇怪，就向百姓询问。百姓说：

“我们的国君生病了，我们为他祈祷；现在他大病痊愈，我们杀一头牛来向神灵还愿。”阎遏、公孙衍很高兴，觐见秦昭襄王时拜贺道：“您已经超过尧、舜了。”秦昭襄王吃惊地问：“何出此言啊？”他们回答说：“尧和舜还没达到让百姓为他们祈祷的地步。如今我们的君王生病了，百姓用牛来祈祷许愿；君王大病痊愈了，百姓杀牛还愿。所以我们私下认为君王您已经超过尧和舜了。”于是秦昭襄王派人下去询问，看看是哪个里弄的人这样干的，要罚这个里弄的里正和伍老各出两副盔甲。阎遏、公孙衍惭愧得不敢说话。几个月之后，秦昭襄王喝酒兴致正高时，阎遏、公孙衍对昭王说：“前段时间我们私下认为君王已经超过了尧和舜，并非胆敢故意讨好君王。尧和舜生病，他们的百姓也没有为他们祈祷；现在君王您生病了，百姓用牛来许愿，病好了之后，百姓还杀牛还愿。现在竟然要处罚那个里弄的里正和伍老，让他们各出两副盔甲，我们私下对这件事感到奇怪。”秦昭襄王说：“你们为什么会不明白其中的道理呢？那些百姓之所以为我所用，并不是因为我爱他们而为我所用，而是因为我有权势才用他们。我要是将权势放弃并与他们相互结交，这样，当我偶尔不去爱他们，他们马上就不为我所用了。因此最终还是要将仁爱的做法摈弃。”

经三

明主者，鉴于外也，而外事不得不成，故苏代非齐王。人主鉴于上也，而居者不适不显，故潘寿言禹情。人主无所觉悟，方吾知之，故恐同衣同族，而况借于权乎！吴章知之，故说以佯，而况借于诚乎！赵王恶虎目而壅。明主之道，如周行人[①]之却卫侯也。

【注释】

①行人：司管国家涉外事务的官吏。

【译文】

英明的君主要从国外借鉴经验，但是借鉴不当还是无法成功，于是苏代批评齐王不信任大臣的事情。君主要从上古时代借鉴经验，但是借鉴隐士的话语不恰当也不能彰显自己，于是有了潘寿谈论夏禹传位的故事。君主还没有觉悟出这些事情，方吾却懂得这个道理，所以他说穿相同服装的人不能坐同一辆车，同一家族的人不能住同一间屋，何况将君主的权力转借给他人呢！吴章懂得这个道理，因此劝说君主连假的喜恶之情都不要对外表露，何况是表露真情呢！赵王讨厌老虎眼睛，最终受到蒙蔽。英明君主的治国方略，就要像周朝的外交官阻拦卫国侯那样去维护君主的尊严。

说三

子之相燕，贵而主断。苏代为齐使燕，王问之曰："齐王亦何如主也？"对曰："必不霸矣。"燕王曰："何也？"对曰："昔桓公之霸也，内事属鲍叔，外事属管仲，桓公被发而御妇人，日游于市。今齐王不信其大臣。"于是燕王因益大信子之。子之闻之，使人遗苏代金百镒，而听其所使。

一曰：苏代为齐使燕，见无益子之，则必不得事而还，贡赐又不出，于是见燕王，乃誉齐王。燕王曰："齐王何若是之贤也？则将必王乎？"苏代曰："救亡不暇，安得王哉？"燕王曰："何也？"曰："其任所爱不均。"燕王曰："其亡何也？"曰："昔者齐桓公爱管仲，置以为仲父，内事理焉，外事断焉，举国而归之，故一匡天下，九合诸侯。今齐任所爱不均，是以知其亡也。"燕王曰："今吾任子之，天下未之闻也？"于是明日张朝而听子之。

【译文】

子之在燕国担任宰相，地位尊贵且独断专权。苏代替齐国出使燕国，燕王问他说："齐宣王是一个怎样的君主？"苏代回答说："是个一定不会称霸天下的君主。"燕王说："为什么？"苏代回答说："昔日齐桓公称霸的时候，朝廷内的事情属于鲍叔牙管辖，朝廷外的事情属于管仲管辖，齐桓公披头散发地跟女人鬼混，每天在市场上闲逛。而现在的齐宣王又对大臣不予信任。”所以燕王就对子之更加信赖。子之听说后，派人给苏代送了一百镒黄金，并且听从他的派遣。

另一种说法：苏代替齐国出使燕国，发现不让子之获得一点好处，就一定会无功而返，燕国给齐国进贡的东西以及燕王给他的赏赐都拿不到手，所以在见到燕王时，苏代就称赞齐王。燕王说：“齐王为什么能如此贤明呢？这样一来不是必定会在天下称王了吗？”苏代说：“挽救危亡恐怕都来不及，哪里能称王呢？”燕王说：“为什么？”苏代说：“他对喜爱的大臣任用不当。”燕王说：“齐国又为何会灭亡呢？”苏代说：“昔日齐桓公敬爱管仲，将他立为仲父，专门处理国内大事，专门决断国外事宜，全国的事情都让他来管，所以能够一举匡正天下，多次会合诸侯。现在的齐王对喜爱的大臣任用不当，所以可以推测齐国会灭亡。”燕王说：“现在我任用子之，天下的人还没有听说过吧！”于是在第二天大开朝会，听凭子之安排。

经四

人主者，守法责成以立功者也。闻有吏虽乱而有独善之民，不闻有乱民而有独治之吏，故明主治吏不治民。说在摇木之本与引网之纲。故失火之啬夫[1]，不可不论也。救火者，吏操壶走火，则一人之用也；操鞭使人，则役万夫。故所遇术者，如造父之遇惊马，牵马推车则不能进，代御执辔持策则马咸骛矣。是以说在椎锻平夷，榜檠[2]矫直。不然，败在淖齿用齐戮闵王，李兑用赵饿主父也。

【注释】

①啬夫：司管礼品的官员。

②榜檠（qíng）：用以矫正弓弩的工具。

【译文】

所谓君主，就是依靠严格守法、责成臣子完成任务来建立功业的人。只听说虽有为非作歹的官员但有自行守法的百姓，没听说民众造反时仍有依法治理的官员，所以英明的君主要致力于管理好官吏而不是去管理民众。有关的解说在摇树要摇树干、拉网要拉纲绳的故事中得以体现。所以失火时官员的表现不能不加以讨论。救火时，如果主管官员自己提着壶去救火，只能起一个人的作用；如果拿着鞭子指派别人救火，就能驱动成千上万的人。所以遇到事情要讲究方法，就像造父遇到受惊吓的马一样，别人牵马推车也无法前进，而换他来驾驭，夺过缰绳拿起马鞭，就能让几匹马一齐奔驰向前。因此这种说法在借用榔头敲打使之平，借用榜檠来矫正不直的故事中得以体现，不这样做，它的负面影响则在淖齿在齐国掌权而将齐闵王杀死，李兑在赵国掌权而将主父饿死的故事中得以体现。

说四

摇木者一一摄其叶，则劳而不遍；左右拊其本，而叶遍摇矣。临渊而摇木，鸟惊而高，鱼恐而下。善张网者引其纲，若一一摄万目而后得，则是劳而难；引其纲，而鱼已囊矣。故吏者，民之本、纲者也，故圣人治吏不治民。

救火者，令吏挈壶瓮而走火，则一人之用也；操鞭箠指麾而趣[①]使人，则制万夫。是以圣人不亲细民，明主不躬小事。

造父方耨，时有子父乘车过者，马惊而不行，其子下车牵马，父子推车，请造父助我推车。造父因收器，辍而寄载之，援其子之乘，乃始检辔持策，未之用也，而马咸骛矣。使造父而不能御，虽尽力劳身助之推车，马犹不肯行也。今身使佚，且寄载，有德于人者，有术而御之也。故国者，君之车也；势者，君之马也。无术以御之，身虽劳，犹不免乱；有术以御之，身处佚乐之地，又致帝王之功也。

【注释】

①趣：通“促”，督促，促使。

【译文】

摇树的人要是一片一片地掀动树叶，即使十分劳累也翻不遍所有的叶子；如果用左右手拍打树干，那么所有的树叶都能晃动。在深潭边上摇树，鸟会因受到惊吓而高飞，鱼会因感到恐惧而下潜。懂得张网捕鱼的人会牵引渔网的纲绳，要是一个一个网眼地拨弄渔网去捉鱼，即使非常辛劳也抓不到鱼；牵引渔网的纲绳，则一网将鱼囊括。所以说官吏是百姓的树干和纲绳，因此圣明的君主要治理官吏而不是治理百姓。

救火时，叫主管官员提着水壶和水罐跑去救火，只能发挥一个人的作用；如果拿着鞭子、短棍督促他人救火，就能驱动上万人的力量。因此圣明的君主不亲自治理百姓，英明的君主不亲自过问小事。

造父正在锄草，这时有父子坐车路过，马受到惊吓不能前行，一个儿子下车拉住马，父子几个人在后面推车，还请造父帮着他们推。造父将农具收拾好后，停止除草，把农具寄放到车上，一把拽住那个儿子拉着的马，然后再捡起缰绳，拿起马鞭，还没有来得及用缰绳、马鞭，马就一起向前奔跑了。要是造父不懂驾驭马，即使用尽全力帮忙推车，马还是无法向前走。现在他自己操作非常轻松，还把农具寄放到了马车上，又给人家施了恩德，是因掌握了驾驭马的方法。所以国家就是君主的车，权势就是君主的马。君主不懂方法而驾驭它，即使自己身心疲惫，国家还是难免陷入混乱；懂得方法而去驾驭它，不但自己身心处于轻松的状态，还能成就帝王的功绩。

经五

因事之理，则不劳而成。故兹郑之踞辕而歌以上高梁也。其患在赵简主税吏请轻重；薄疑之言“国中饱”，简主喜而府库虚，百姓饿而奸吏富也。故桓公巡民而管仲省腐财怨女。不然，则在延陵乘马不得进，造父过之而为之泣也。

【译文】

按照事物的规律办事，不必劳苦就能成功。所以兹郑用坐在车辕上唱歌的方法来吸引行人帮他将车推上高桥。相应的祸害表现在赵简子的税官请求确定收税的轻重标准；薄疑说“国中饱”，赵简子误认为国家富强而欢喜，其实是府库空虚，百姓挨饿而奸臣富足。所以齐桓公巡视坊间时发现有人家庭贫困没有妻妾，因而同意管仲发放多余的钱财、嫁出宫中未被临幸的妇女。不遵循事物规律办事，就会像延陵卓子用自相矛盾的方法驾驭马匹，造父路过看到这种情况而为他哭泣一样。

说五

齐桓公微服以巡民家，人有年老而自养者，桓公问其故。对曰："臣有子三人，家贫无以妻之，佣未反。"桓公归，以告管仲。管仲曰："畜积有腐弃之财，则人饥饿；宫中有怨女，则民无妻。"桓公曰："善。"乃论宫中有妇人而嫁之。下令于民曰："丈夫二十而室，妇人十五而嫁。"

一曰：桓公微服而行于民间，有鹿门稷者，行年七十而无妻。桓公问管仲曰："有民老而无妻者乎？"管仲曰："有鹿门稷者，行年七十矣而无妻。"桓公曰："何以令之有妻？"管仲曰："臣闻之：上有积财，则民臣必匮乏于下；宫中有怨女，则有老而无妻者。"桓公曰："善。"令于宫中"女子未尝御出嫁之"。乃令男子年二十而室，女年十五而嫁。则内无怨女，外无旷夫。

【译文】

齐桓公微服出访，有一位上了年纪的老人还得自己养活自己，齐桓公问他什么缘故。老人回答说："我有三个儿子，家境贫穷，无法为他们娶妻，他们出去当雇工还没有回来。"齐桓公回到宫里，把这件事告诉管仲。管仲说："朝廷的积蓄中如果有腐败的财物，百姓就会挨饿；宫中有年长未嫁的女子，百姓就没有妻子。"齐桓公说："对。"齐桓公考察宫中有年长而未婚的女子就把她们嫁出宫，并且对百姓下令道："男子二十岁要成家，女子十五岁要出嫁。"

另一种说法：齐桓公在民间微服出访，遇见一个叫鹿门稷的人，七十岁了还没有妻子。齐桓公问管仲说："有百姓年老了还没有娶妻的吗？"管仲说："有个叫鹿门稷的人，已经七十岁了却没有妻子。"齐桓公说："有什么办法能让他有妻子？"管仲说："我听说：君主积蓄财物，则下面的臣民们必然会缺乏财物；宫中有年长而没有嫁出去的女子，下面的臣民们就会有年老而没有娶妻的人。"齐桓公说："对。"于是下令"将宫中没有被君主临幸过的女子嫁到宫外"。下令男子年满二十就要娶妻，女子年满十五就要出嫁。这样皇宫内就不会有年长而没有出嫁的女子，宫外就不会有成年但未婚的男子。

五蠹

【题解】

韩非子提出的“五蠹”，指的是五类危害国家的蛀虫，文中指学者、言谈者、带剑者、患御者、商工之民，具体对应为儒学人士、纵横家、游侠刺客、逃避服兵役的人、商业手工业者。韩非子认为，这五类人都是破坏法制、妨碍耕战、有害于君王统治的人，必须彻底铲除。

【原文】

上古之世，人民少而禽兽众，人民不胜禽兽虫蛇。有圣人作，构木为巢以避群害，而民悦之，使王天下，号曰有巢氏。民食果蓏[①]蚌蛤，腥臊恶臭而伤害腹胃，民多疾病。有圣人作，钻燧取火以化腥臊，而民说之，使王天下，号之曰燧人氏。中古之世，天下大水，而鲧、禹决渎。近古之世，桀、纣暴乱，而汤、武征伐。今有构木钻燧于夏后氏之世者，必为鲧、禹笑矣；有决渎于殷、周之世者，必为汤、武笑矣。然则今有美尧、舜、汤、武、禹之道于当今之世者，必为新圣笑矣。是以圣人不期修古，不法常可，论世之事，因为之备。宋人有耕田者，田中有株，兔走触株，折颈而死，因释其耒[2]而守株，冀复得兔。兔不可复得，而身为宋国笑。今欲以先王之政，治当世之民，皆守株之类也。

【注释】

①果蓏（luǒ）：瓜果的总称。

②耒（lěi）：古代翻土用的农具。

【译文】

上古时期，人民稀少而鸟兽众多，人民无法战胜鸟兽虫蛇。这时出现了一位圣人，他在树上搭建了一个像鸟巢一样的住处来躲避各种伤害，人们因此爱戴他，让他来统治天下，并将他称为有巢氏。当时的人民只能生吃瓜果和蚌蛤，不仅有腥臊等难闻的气味，而且还容易伤害肠胃，许多人因此得了疾病。这时候又出现了一位圣人，他发明钻木取火煮熟食物的方法来消除腥臊味，人们因而很爱戴他，让他来统治天下，并将他称为燧人氏。到了中古的时候，天下暴发了一次大洪水，鲧和禹先后负责疏通河道。近古时代，夏桀和纣王的暴政引发国家混乱，于是商汤和周武王先后起兵讨伐。如果到了夏朝，还有人用在树上筑巢居住、用钻木取火的办法生活，那一定会被鲧、禹耻笑；如果到了殷周时代，还有人要把疏通河道作为最要紧的事情，那就一定会被商汤、武王所耻笑。类似的，在当下要是还有人推崇尧、舜、汤、武、禹的那种方法，那就一定会被现代的圣人耻笑。因此，圣人不要寄托希望于照搬古法，不要一成不变地遵守常规，而应根据当前的实际情况，用相应的措施来做防备。宋国有个种田的人，田里有一个树桩，一只兔子在奔跑时撞上了树桩，扭断脖子死了。这个种田的人从此放下农具，就在树桩旁边守着，希望能再捡到一只死兔子。兔子是不可能再得到了，他自己也被宋国人嘲笑。现在还希望用先王的政治思想来治理当下的百姓，这就跟守株待兔是一回事。

古者丈夫不耕，草木之实足食也；妇人不织，禽兽之皮足衣也。不事力而养足，人民少而财有余，故民不争。是以厚赏不行，重罚不用，而民自治。今人有五子不为多，子又有五子，大父未死而有二十五孙。是以人民众而货财寡，事力劳而供养薄，故民争，虽倍赏累罚而不免于乱。

尧之王天下也，茅茨[①]不翦，采椽不斫；粝粢[②]之食，藜藿之羹；冬日麑裘[③]，夏日葛衣；虽监门之服养，不亏余此矣。禹之王天下也，身执耒臿以为民先，股无胈，胫不生毛，虽臣虏之劳不苦余此矣。以是言之，夫古之让天子者，是去监门之养，而离臣虏之劳也，古传天下而不足多也。今之县令，一日身死，子孙累世絜驾[4]，故人重之。是以人之余让也，轻辞古之天子，难去今之县令者，薄厚之实异也。夫山居而谷汲者，媵腊而相遗以水；泽居苦水者，买庸而决窦。故饥岁之春，幼弟不饷；穰岁之秋，疏客必食。非疏骨肉爱过客也，多少之实异也。是以古之易财，非仁也，财多也；今之争夺，非鄙也，财寡也。轻辞天子，非高也，势薄也；争土橐，非下也，权重也。故圣人议多少、论薄厚为之政。故罚薄不为慈，诛严不为戾，称俗而行也。故事因余世，而备适于事。

【注释】

①茅茨（cí）：茅草屋顶。

②粝粢（lì zī）：粝，粗米；粢，谷物。此处泛指粗劣的粮食。

③麑（ní）裘：麑，小鹿。此处泛指质量不佳的皮衣。

④絜驾：拴马套车。此处指有车可坐。

【译文】

古时候，男人不种田，野生的草木果实就够吃了；女人不用织布，禽兽的毛皮也够穿了。不用费力劳作而给养充足，人口数量少而财富都有结余，所以人民之间互不相争。因此没有重赏，不行重罚，民众生活安定。现在人们有五个孩子也不算多，每个孩子分别又有五个孩子，祖父没过世就会有二十五个孙子。人口多了财物就缺乏了，费力劳作但给养仍旧微薄，所以民众之间互相争夺，即使加倍奖赏和不停惩罚，社会动乱仍旧不可避免地发生。

尧统治天下的时候，茅草房顶不用修剪，栎木椽子不用砍削；吃的是粗粮饭，喝的是野菜汤；冬天穿着劣质皮衣，夏天穿着粗布麻衣；现在就是守门的人过得也不比这差。禹统治天下的时候，亲自拿着农耕铁锹率领民众做农活，累到大腿肌肉消瘦，小腿上不长汗毛，现在即使是奴役们的劳作也不比这还辛苦。这样说来，古时候将天子的位置让给别人，不过是去掉看门人那般的供养，摆脱奴隶那般的繁重苦劳罢了，所以古人把天下传给别人也不足以称赞。现在的县令，一旦死了，他接下来的几代子孙都有车可坐，所以人们都重视县令的位置。因此，在让位这件事情上，古代的天子辞位非常容易，今天的县官要辞位却很难；这是因为所获得的利益多少之间有着本质的差异。那些住在山上但要去谷底打水的人，逢年过节会把水作为礼物互相赠送；住在低洼地带饱受水涝灾害的人，却要雇人来挖沟渠排积水。所以到了荒年的春天，就连自己幼小的弟弟都吃不上饭；到了丰年的秋天，即使是很少来往的客人也一定招待吃喝。这并不是有意地疏远自己的骨肉而偏爱过路的客人，而是因为粮食的收成多少确实有很大不同。因此，古人把钱财看得很轻，并不是仁义，而是因为钱多；今人为钱互相争夺，并不是因为贪财，而是因为财少。古人轻易地将天子的职位辞掉，并不是因为风格高尚，而是因为权势很小；今人争夺官位或依附权势非常严重，也不是因为品德低下，而是因为权大势重。所以圣人要衡量财物多少、权势大小的实际情况再制定政策。刑罚轻并非因为仁慈，刑罚重并非因为残暴，是与社会实际情况相称的行为。因此，政事因时代的变化而变化，所采取的措施要与实际的政事相适应。

古者文王处丰、镐之间，地方百里，行仁义而怀西戎，遂王天下。徐偃王处汉东，地方五百里，行仁义，割地而朝者三十有六国。荆文王恐其害己也，举兵伐徐，遂灭之。故文王行仁义而王天下，偃王行仁义而丧其国，是仁义用于古不用于今也。故曰：世异则事异。当舜之时，有苗不服，禹将伐之。舜曰："不可。上德不厚而行武，非道也。"乃修教三年，执干戚舞，有苗乃服。共工之战，铁铦[1]短者及乎敌，铠甲不坚者伤乎体。是干戚用于古不用于今也。故曰：事异则备变。上古竞于道德，中世逐于智谋，当今争于气力。齐将攻鲁，鲁使子贡说之，齐人曰："子言非不辩也，吾所欲者土地也，非斯言所谓也。"遂举兵伐鲁，去门十里以为界。故偃王仁义而徐亡，子贡辩智而鲁削。以是言之，夫仁义辩智，非所以持国也。去偃王之仁，息子贡之智，循徐、鲁之力使敌万乘，则齐、荆之欲不得行于二国矣。

【注释】

①铦（xiān）：铁锸之类的武器。

【译文】

古时候的周文王处在丰、镐两地之间，拥有方圆百里的土地，因为施行仁义的政策而感化了西戎，最后统治了天下。徐偃王处在汉水的东面，拥有方圆五百里的土地，因为施行仁义的政策，割地朝贡的国家有三十六个。楚文王害怕徐国会对自己造成危害，便率兵讨伐徐国，并且灭了徐国。所以周文王施行仁义政策而统治了天下，而徐偃王施行仁义政策却导致他的国家灭亡，这说明仁义政策适用于古代而不适用于当代。所以说：时代不同那么政事也就随之不同。舜在位的时候，苗人就不服，禹主张讨伐苗人。舜说："不行，我们的德行还不够深厚就施行武力，这不合乎道理。"于是用了三年时间修习德行，拿着盾牌和大斧跳舞，苗人于是归服了。到了共工打仗的时候，拿短兵器的人就会被敌人击中，穿不坚韧的铠甲就会让身体受伤，这表明拿着盾牌和大斧跳舞的方法只适用于古代而不适用于当下。所以说：情况变了，那么措施也要相应地改变。上古时候的人们在道德上一争高下，中古时候的人们在智慧谋略上相互竞逐，现在的人们在力量上相互竞争。齐国准备进攻鲁国，鲁国派子贡去说服齐国人。齐国人说："不是你的话说得没道理，但我要的是你们国家的土地，不是你说的这些话。"于是率兵攻打鲁国，一直将边界推到距离鲁国国门十里地的地方。所以说徐偃王施行仁义政策而导致徐国灭亡，子贡机智善辩而导致鲁国丢失了土地。这样看来，仁义的政策、机智的辩词，这些都无法用来维持国家的生存。如果当初抛弃徐偃王的仁义政策，抛弃子贡的能言善辩，依靠徐国、鲁国的实力去抵抗有万辆兵车的敌国，那么齐国、楚国的野心就无法在这两个国家得以实现了。

夫古今异俗，新故异备。如欲以宽缓之政，治急世之民，犹无辔策而御馯马，此不知之患也。今儒、墨皆称先王兼爱天下，则视民如父母。何以明其然也？曰："司寇[1]行刑，君为之不举乐；闻死刑之报，君为流涕。"此所举先王也。夫以君臣为如父子则必治，推是言之，是无乱父子也。人之情性莫先于父母，皆见爱而未必治也，虽厚爱矣，奚遽不乱？今先王之爱民，不过父母之爱子，子未必不乱也，则民奚遽治哉？且夫以法行刑，而君为之流涕，此以效仁，非以为治也。夫垂泣不欲刑者仁也；然而不可不刑者，法也。先王胜其法，不听其泣，则仁之不可以为治亦明矣。

且民者固服于势，寡能怀于义。仲尼，天下圣人也，修行明道以游海内，海内说其仁、美其义而为服役者七十人，盖贵仁者寡，能义者难也。故以天下之大，而为服役者七十人，而仁义者一人。鲁哀公，下主也，南面君国，境内之民莫敢不臣。民者固服于势，势诚易以服人，故仲尼反为臣，而哀公顾为君。仲尼非怀其义，服其势也。故以义则仲尼不服于哀公，乘势则哀公臣仲尼。今学者之说人主也，不乘必胜之势，而务行仁义则可以王，是求人主之必及仲尼，而以世之凡民皆如列徒，此必不得之数②也。

【注释】

①司寇：古代的高级刑狱官。

②数：通“术”，方法。

【译文】

古今的风俗有差异，所以新旧时代的应对措施也各不相同。如果想用宽容温和的仁义政策治理动荡乱世当中的百姓，就好比没有缰绳和马鞭却要去驾驭性格暴烈的马匹一样，这是因为不懂而造成的祸患。现在儒家、墨家都称颂“先王爱天下苍生”，对待百姓就像父母爱子女一般。用什么来证明先王确实是这样的呢？他们说：“狱官执行刑罚的时候，君主会因此而停止奏乐；听到死刑报告后，君主会为此而流泪。”这就是他们赞美先王的原因。如果认为君臣之间都能像父子关系一样就一定能治理好天下，根据这种言论推断，天下间的父子没有不和睦的。从人的性情来看，没有什么能超过父母对子女的爱，子女都受父母的关爱，但家庭不见得都和睦，即使施以厚爱，就一定能够保证不发生冲突吗？如今先王对百姓的爱不可能超过父母对子女的爱，子女都不见得一定不会叛逆，何况是用仁义政策进行治理的百姓呢？再说依照法令来执行刑罚而君主要为他流泪，这是用来表现仁义政策的，但并不是用来治国的。流泪而不想施行刑罚，这是君主的仁爱之心；然而不得不用刑，这是国家的法令。先王执行了法令，而不听凭自己的眼泪，那么不能用仁爱之心来治理国家的道理也就阐释清楚了。

况且百姓一向屈服于权势，很少有人会被仁义感化。孔子是天下的圣人，修养德行阐明道义，在列国之间周游。但天下称颂他的仁义之心并愿意为他效劳的人只有七十个。可能是因为将仁心看得重的人很少，按道义做事很难吧。所以天下这么大，愿意为他效劳的只有七十人，而倡导仁义的只有孔子一个人。鲁哀公是个不高明的君主，他坐在朝廷里统治国家，鲁国的百姓没有哪个敢不臣服的。民众总是屈服于权势，权势也确实容易让人服从，所以孔子做了臣子，而鲁哀公却当了君主。孔子并没有服从鲁哀公的仁义，而是服从于他的权势。因此，按道义来说，孔子就不会向哀公屈服，用权势，哀公却能让孔子俯首称臣。现在的学者们游说君主，要君主不依靠那些能够取胜的权势，而通过宣扬仁义道德的方法才能够统治天下，这便是要求君主必须像孔子那样，将天下百姓都作为门徒一样对待，这一定是行不通的方法。

今有不才之子，父母怒之弗为改，乡人谯之弗为动，师长教之弗为变。夫以父母之爱、乡人之行、师长之智，三美加焉，而终不动，其胫毛不改。州部之吏，操官兵，推公法，而求索奸人，然后恐惧，变其节，易其行矣。故父母之爱不足以教子，必待州部之严刑者，民固骄于爱、听于威矣。故十仞之城，楼季弗能逾者，峭也；千仞之山，跛牂易牧者，夷也。故明王峭其法而严其刑也。布帛寻常[1]，庸人不释；铄金百溢，盗跖不掇。不必害，则不释寻常，必害手，则不掇百溢，故明主必其诛也。是以赏莫如厚而信，使民利之；罚莫如重而必，使民畏之；法莫如一而固，使民知之。故主施赏不迁，行诛无赦，誉辅其赏，毁随其罚，则贤、不肖俱尽其力矣。

今则不然。以其有功也爵之，而卑其士官也；以其耕作也赏之，而少其家业也；以其不收也外之，而高其轻世也；以其犯禁也罪之，而多其有勇也。毁誉、赏罚之所加者，相与悖缪也，故法禁坏而民愈乱。今兄弟被侵，必攻者，廉也；知友被辱，随仇者，贞也。廉贞之行成，而君上之法犯矣。人主尊贞廉之行，而忘犯禁之罪，故民程②于勇，而吏不能胜也。不事力而衣食，则谓之能；不战功而尊，则谓之贤。贤能之行成，而兵弱而地荒矣。人主说贤能之行，而忘兵弱地荒之祸，则私行立而公利灭矣。

【注释】

①寻常：长度单位，一寻为八尺，一常为两寻。

②程：通“逞”，炫耀。

【译文】

如今有这么一个不成器的孩子，父母怒斥他，他不悔改；乡邻们责骂他，他无动于衷；师长教训他，他不想改变。父母的关爱、乡邻的帮助、师长的智慧，这三方面的优势都加在他的身上，他却始终不为所动，丝毫不肯改正。直到地方上的官吏拿着兵器，按照国家的法令搜索坏人时，他才害怕起来，改变了不好的品行，纠正了不好的举止。所以父母的关爱不足以将子女教好，必须依靠官府的严厉刑罚，这是因为人们本身会因受到宠爱而骄横，见到权势就会屈服。因此，十仞高的城墙，即使是楼季也翻不过去，因为太陡峭；千仞高的高山，就是瘸腿的母羊也可以被赶上去放牧，因为坡度平缓。所以英明的君主总要制定严峻的刑罚并严格执行。十几尺的布帛，平常人见到了也舍不得放手；熔化了的百镒黄金，即使是盗跖也不敢伸手去拿。不一定受到伤害的时候，十几尺的布帛也舍不得放手；肯定受到伤害的时候，百镒黄金也不敢伸手去拿。所以英明的君主一定要严格执法。因此，施行奖赏不如丰厚一些而且必然兑现，让百姓认为依法行事是有利可图的；施行刑罚最好严厉一些而且坚决执行，使人们对违法的行为有所畏惧；法令最好是统一而且固定的，让百姓都能明白。所以君主施行奖赏且不随意改变，执行刑罚而不轻易赦免，在受赏的同时辅以名誉，在受罚的同时加上恶名，这样一来，贤能的人或是不贤的人都会尽力而为。

现在却不是这样。因为他的功劳才赏给他爵位，却又鄙视他做官；因为他的耕种才给他奖赏，却又看不起他经营家业；因为他不愿意被录用而疏远他，却又推崇他看轻世俗；因为他违反禁令而被定罪，却又称赞他勇敢有加。施加的罪名、美名、奖赏、惩罚之间相互矛盾，法律禁令不正，那么百姓就会更加混乱。现在只要自己的兄弟受到侵犯就一定帮他反击，这种人被认为是正直的人；知心的朋友受到欺辱就一定为他报仇，这种人被认为是忠贞的人。这种“正直”和“忠贞”的风气形成之后，君主的法令就被破坏了。君主推崇这种“正直”“忠贞”的品行，而忽视了违反法律的罪行，所以人们就会炫耀自己的勇气，而官吏无法加以制止。对于不用费事劳力就有吃有穿的人，说他有本事；对于没有战功就受到尊重的人，说他有才能。这种“有本事”“有才能”的风气形成之后，国家的兵力就会衰弱，土地就会荒芜。君主如果赞赏这种“有本事”和“有才能”的品行，而忽视了兵力削弱、土地荒芜的隐患；谋取私利的行为就会形成，国家利益就会消失。

儒以文乱法，侠以武犯禁，而人主兼礼之，此所以乱也。夫离[①]法者罪，而诸先生以文学取；犯禁者诛，而群侠以私剑养。故法之所非，君之所取；吏之所诛，上之所养也。法、趣、上、下，四相反也，而无所定，虽有十黄帝不能治也。故行仁义者非所誉，誉之则害功；文学者非所用，用之则乱法。楚之有直躬，其父窃羊而谒之吏。令尹曰："杀之！"以为直于君而曲于父，报而罪之。以是观之，夫君之直臣，父之暴子也。鲁人从君战，三战三北，仲尼问其故，对曰："吾有老父，身死莫之养也。"仲尼以为孝，举而上之。以是观之，夫父之孝子，君之背臣也。故令尹诛而楚奸不上闻，仲尼赏而鲁民易降北。上下之利，若是其异也，而人主兼举匹夫之行，而求致社稷之福，必不几②矣。

古者苍颉之作书也，自环者谓之私，背私谓之公，公私之相背也，乃苍颉固以知之矣。今以为同利者，不察之患也。然则为匹夫计者，莫如修行义而习文学。行义修则见信，见信则受事；文学习则为明师，为明师则显荣：此匹夫之美也。然则无功而受事，无爵而显荣，为有政如此，则国必乱，主必危矣。故不相容之事，不两立也。斩敌者受赏，而高慈惠之行；拔城者受爵禄，而信廉爱之说；坚甲厉兵以备难，而美荐绅之饰；富国以农，距敌恃卒，而贵文学之士；废敬上畏法之民，而养游侠私剑之属。举行如此，治强不可得也。国平养儒侠，难至用介士，所利非所用，所用非所利。是故服事者简其业，而游学者日众，是世之所以乱也。

【注释】

①离：通"罹"，违反，触犯。

②几：通“冀”，希望。

【译文】

儒家用文学扰乱法纪，游侠用武力违反禁令，而君主对他们都礼遇有加，这就是国家混乱的原因。犯法的本该定罪，而那些儒家学者却凭借着文学作品而受到任用；违反禁令的本该受罚，而那些游侠却靠着自己的剑器得到供养。所以法令反对的人，君主却重用他们；要受惩罚的官吏，却得到了君主的供养。法令反对，君主却重用；官吏处罚，君主却供养，这四种情况互相矛盾并且没有确定的标准，即使有十个黄帝也治不好国家。所以不应当称赞那些推行仁义的人，称赞了就会危害国家的功业；不能重用搞文学的人，重用了就会扰乱国家的法度。楚国有个叫直躬的人，他的父亲偷了人家的羊，他便去官吏那儿告发。令尹说：“杀掉他！”认为他对君主正直但对父亲不孝，因此判他有罪。由此看来，君主的忠臣却成了父亲的逆子。鲁国有个人跟着君主出去打仗，屡战屡逃。孔子问他为什么这么做，他回答说：“我家中有年迈的父亲，我死了就没有人养活他了。”孔子认为这是孝顺的表现，便推举他做了官。由此看来，父亲的孝子却成了君主的逆臣。所以令尹杀掉直躬之后，楚国的坏人坏事就没人上报了；孔子奖赏逃兵，鲁国人打仗的时候就轻易地投降了。君臣上下之间的利害得失是如此不同，而君主既赞同个人的行为，又追求国家的福祉，这是一定没希望的。

古代仓颉造字的时候，将围绕自己的行为叫作“私”，与“私”相背的行为叫作“公”。公与私相背离的道理，仓颉就已经知道了。现在认为公私利益相同的那些人，都是犯了没有仔细考察的错误。然而为个人打算的话，没有比修习仁义、熟悉学术更好的办法了。修习好仁义就会被君主信任，被信任就能被授予官职；熟悉学术就可以成为高明的老师，成了高明的老师就能彰显个人的荣耀。对个人来说，这是很好的事了。没有功劳的人却被授予官职，没有爵位的人却彰显荣耀，如果形成了这样的政局，国家必定会陷入混乱，君主必然会身陷危机。所以，互不相容的事情无法共存。对于斩杀敌人的人赐予奖赏，但又推崇仁爱慈惠的行为；对于攻下城池的人赐予爵位俸禄，却又信奉清廉慈爱的观点；加固铠甲、磨砺兵器来抵御战乱，却又赞美大袖袍宽腰带的服饰；国家富足要依靠农民，抵御敌人要依靠士兵，却又将搞文学的人视作尊贵的人；不任用那些尊重君主遵守法度的人，而去收养游侠刺客之类的人。按这样的方式，想将国家治理得强盛是不可能的。国家太平的时候收养儒生和游侠，国家战乱的时候要任用士兵；国家给予利益的人却不是国家要任用的人，而国家要任用的人却又得不到任何好处。结果从事耕战的人荒废了自己的事业，游侠和书生却一天天多了起来，这是世道混乱的原因啊。

且世之所谓贤者，贞信之行也；所谓智者，微妙之言也。微妙之言，上智之所难知也。今为众人法，而以上智之所难知，则民无从识之矣。故糟糠不饱者不务粱[①]肉，短褐不完者不待文绣。夫治世之事，急者不得，则缓者非所务也。今所治之政，民间之事，夫妇所明知者不用，而慕上知之论，则其于治反矣。故微妙之言，非民务也。若夫贤贞信之行者，必将贵不欺之士；不欺之士者，亦无不欺之术也。布衣相与交，无富厚以相利，无威势以相惧也，故求不欺之士。今人主处制人之势，有一国之厚，重赏严诛，得操其柄，以修明术之所烛，虽有田常、子罕之臣，不敢欺也，奚待于不欺之士？今贞信之士不盈于十，而境内之官以百数，必任贞信之士，则人不足官，人不足官则治者寡而乱者众矣。故明主之道，一法而不求智，固术而不慕信，故法不败，而群官无奸诈矣。

【注释】

①粱：品质优良的小米。

【译文】

何况社会上所谓的贤人，是指他们拥有忠贞守信的行为；所指的智者，是能说出深奥玄妙言辞的人。深奥玄妙的言辞，哪怕是智慧卓越的人也难以理解。现在用连智慧卓越的人都难以理解的话语来为普通百姓树立行为规范，百姓就没办法懂得。所以，连糟糠都吃不饱的人不会追求精美的膳食，连粗布短衣都穿不上的人不会追求锦衣华服。在治理国家这件事上，紧急事情还没有办好，那些不急的事情就不要急着去做。现在治理国家的政事和民间的琐碎事，那些普通人都知道的道理不予采用，而去追求那些智慧卓越的人也理解不了的言论，这就违反了治国的原则。所以那些深奥玄妙的言辞，并不是人民所需要的。推崇忠贞守信行为的人，必然也会尊重那些诚实不欺的人；而诚实不欺的人，也不懂欺骗他人的手段。平民百姓之间相互交往，没有丰厚的钱财可以利用，没有重大的权势可以威胁，所以就会追求诚实不欺的人。如今君主处于能够统治他人的地位，拥有整个国家的财富，手握重赏严惩的权力，可以运用方法来洞察问题；那么即使有田常、子罕一类的臣子也不敢进行欺骗，为什么要等待诚信不欺的人出现呢？当今忠贞守信的人可能还不到十个，而国家需要的官吏却数以百计，如果一定要任用忠贞守信的人来当官，能当官的人数就满足不了官职的需要。满足官职需求的人不够，那么治理好政事的人就少，制造混乱的人就多了。所以英明君主治国的方法，在于专一地实行法治而不追求任用智者，牢牢掌握方法而不一味追求守信，这样法制不会遭到破坏，众多官员之间也就不会有奸邪敲诈的行为了。

今人主之于言也，说其辩而不求其当焉，其用于行也，美其声而不责其功。是以天下之众，其谈言者务为辩而不周于用，故举先王言仁义者盈廷，而政不免于乱；行身者竞于为高而不合于功，故智士退处岩穴，归禄不受，而兵不免于弱。兵不免于弱，政不免于乱，此其故何也？民之所誉，上之所礼，乱国之术也。今境内之民皆言治，藏商、管之法者家有之，而国愈贫，言耕者众，执耒者寡也；境内皆言兵，藏孙、吴之书者家有之，而兵愈弱，言战者多，被甲①者少也。故明主用其力，不听其言；赏其功，必禁无用。故民尽死力以从其上。夫耕之用力也劳，而民为之者，曰：可得以富也。战之为事也危，而民为之者，曰：可得以贵也。今修文学，习言谈，则无耕之劳而有富之实，无战之危而有贵之尊，则人孰不为也？是以百人事智而一人用力。事智者众，则法败；用力者寡，则国贫：此世之所以乱也。

故明主之国，无书简之文，以法为教；无先王之语，以吏为师；无私剑之捍，以斩首为勇。是境内之民，其言谈者必轨于法，动作者归之于功，为勇者尽之于军。是故无事则国富，有事则兵强，此之谓王资。既畜王资而承敌国之亹②，超五帝侔三王者，必此法也。

【注释】

①被甲：披上盔甲，此处指当兵。

②亹（xìn）：同“衅”，缝隙，此处引申为弱点。

【译文】

现在君主对于臣子的言论，喜欢那些好听的而不追求恰当的；在任用臣子做事的方面，喜欢他们的名声而不责成事情的功效。因此天下的很多人，说话致力于能言善辩而不考虑实际的用处，结果称颂先王大谈仁义的人充满整个朝廷，国家的政局也就难免陷入混乱；那些做事考虑自身名誉的人都争相显示自己的清高而不为国家建功立业，结果有才智的人都隐居在山洞里，归还君主所给的俸禄而且不想接受，国家的兵力就不可避免地会衰弱。兵力免不了会衰弱，政局免不了会混乱，这究竟是什么原因造成的呢？因为百姓所称赞的，君主所礼待的，都是些让国家陷入混乱的做法。现在全国的百姓都在谈论如何治国，每家每户都藏有商鞅和管仲的法典，但是国家越来越穷，原因就在于谈论种田的人太多，而真正拿起农具种田的人太少；全国的百姓都在谈论如何打仗，每家每户都藏有孙子和吴起的兵书，但国家的兵力越来越弱，原因就在于谈论打仗的人太多，而真正当兵上阵的人太少。所以英明的君主要使用百姓的力量，不要听从他们的言谈；要为他们的功劳发奖，坚决禁止那些没有用的行为。这样百姓就会拼命服从君主。种田是花费力气的劳动，但百姓也愿意去干，说：种田能变得富有。打仗是非常危险的事情，但百姓也愿意去干，说：打仗能够让地位变得尊贵。如今学习文学，能说会道，不需要经历种田的辛劳也能得到富裕的结果，不需要冒打仗的危险也能享受到尊贵的地位，谁会不这样做呢？所以许多人从事智力活动而只有一个人从事体力活动。有太多从事智力活动的人，国家法度就要被破坏；少有人从事体力活动，国家就会变得贫穷：这就是社会混乱的原因。

所以英明君主治理的国家，不将文献典籍当作教材，而是将法令作为教材；不学习先王的论断而将官吏作为老师；不用游侠来进行捍卫，而将斩杀敌人首级的人视为勇士。这样，国内百姓的言谈就会合法，所有的行为都要为国立功，表现勇敢的人都要去行军打仗。没有战事时国家就富有，发生战事时也有强大的军队，这就是统治天下的资本。不仅蓄积了成就王业的资本，而且善于把握敌国的弱点，建立超过三王五帝的功业，也一定要采用这种办法。

今则不然，士民纵恣于内，言谈者为势于外，外内称恶，以待强敌，不亦殆乎！故群臣之言外事者，非有分于从衡之党，则有仇雠之忠[①]，而借力于国也。从者，合众弱以攻一强也；而衡者，事一强以攻众弱也：皆非所以持国也。今人臣之言衡者，皆曰："不事大，则遇敌受祸矣。"事大未必有实，则举图而委，效玺而请兵矣。献图则地削，效玺则名卑，地削则国削，名卑则政乱矣。事大为衡，未见其利也，而亡地乱政矣。人臣之言从者，皆曰："不救小而伐大，则失天下，失天下则国危，国危而主卑。"救小未必有实，则起兵而敌大矣。救小未必能存，而伐大未必不有疏，有疏则为强国制矣。出兵则军败，退守则城拔，救小为从，未见其利，而亡地败军矣。是故事强，则以外权士官于内；救小，则以内重求利于外。国利未立，封土厚禄至矣；主上虽卑，人臣尊矣；国地虽削，私家富矣。事成，则以权长重；事败，则以富退处。人主之听说于其臣，事未成则爵禄已尊矣；事败而弗诛，则游说之士孰不为用矰缴[②]之说而侥幸其后？故破国亡主以听言谈者之浮说。此其故何也？是人君不明乎公私之利，不察当否之言，而诛罚不必其后也。皆曰："外事，大可以王，小可以安。"夫王者，能攻人者也；而安，则不可攻也。强，则能攻人者也；治，则不可攻也。治强不可责于外，内政之有也。今不行法术于内，而事智于外，则不至于治强矣。

【注释】

①忠：通"衷"，心思。

②矰缴（zēng zhuó）：射猎鸟类时所用的带有细绳的线，方便射中后收回。矰缴之说，指为了取得功名而说的那些花言巧语。

【译文】

现在却不是这样，士民之流在国内恣意妄为，纵横家在国外大造声势。国外国内一同作恶，以这样的状况去对付强劲的敌人，不是太危险了吗！所以那些谈论外交问题的臣子，不是合纵连横派系中的党羽，就是存有借助国家力量铲除仇敌的心思。所谓合纵，就是联合多个弱小国家来攻打一个强国；所谓连横，就是依靠一个强国去攻打多个弱国：这些都不是保全国家的好办法。现在那些主张连横的臣子都说："不依附大国，那么遇上强敌就得遭殃。"依附大国不见得有什么实际效应，反而要献出自己国家的地图，上交国家的印玺才能请求兵力支援。献出地图，本国土地就削减了；上交印玺，君主的名声就卑微了。土地缩小，国家就削弱了；名声卑微，政事就混乱了。依附大国来实行连横，还没看到好处，却已失去了国土，搞乱了政治。那些主张合纵的臣子都说："不救援小国而去讨伐大国，就失去天下各国的信任，失去了天下各国的信任国家就要陷入危境，国家陷入危境，君主的地位就显得卑微了。"援救小国不见得有什么实效，反而要率兵去对抗大国。援救小国不一定能让它存活下来，与大国交战难免出现疏漏，出现疏漏就会被大国控制。派出军队，军队就要吃败仗；退守城池，城池就会被攻破。援救小国来实行合纵，还没看到好处，却已让国土被吞并，让军队吃败仗。所以侍奉强国，就是让那些搞连横的人依靠国外的势力在国内捞取高官；援救小国，就是让那些搞合纵的人借助国内的势力在国外捞取好处。国家利益没有确立起来，但那些合纵连横的臣子倒是捞到了封地和丰厚的俸禄。君主的地位降低了，但臣子的地位尊贵了；国家的土地削减了，而私人的家庭却富有了。事情成功了，纵横家们就会依靠权势长时间得到重用；事情失败了，纵横家们就会凭借获得的财富辞官隐居。君主听信纵横家们的游说，事情还没办成就已经赐给他们高官厚禄；事情失败了也不去追究他们的责任，既然这样，那些游说之士谁不想用花言巧语来谋取高官厚禄，哪怕事情败露之后也能侥幸逃避灾难？所以国家分裂、君主灭亡局面的出现，都是因为听信了纵横家的花言巧语而造成的。其中的原因到底是什么呢？这是因为君主不明白公私利益不同的道理，不考察言论到底正不正确，事情败露之后又不坚决予以惩罚。人们都说："从事外交活动，收效大的能够统治天下，收效小的也能确保安全。"所谓的统治天下，就是能够向别国进攻；所谓确保安全，就是保证自己的国家不被攻打。军队强大，才能打败别国；国家安定，才能不被别人侵犯。国家强盛无法通过外交来实现，只能搞好国内的治理。现在不在国内推行治国的方法，反而专门动外交事情的脑筋，这样一来，国家就永远达不到安定而强大的水平。

鄙谚曰："长袖善舞，多钱善贾。"此言多资之易为工[①]也。故治强易为谋，弱乱难为计。故用于秦者，十变而谋希失，用于燕者，一变而计希得。非用于秦者必智，用于燕者必愚也，盖治乱之资异也。故周去秦为从，期年而举；卫离魏为衡，半岁而亡。是周灭于从，卫亡于衡也。使周、卫缓其从衡之计，而严其境内之治，明其法禁，必其赏罚，尽其地力以多其积，致其民死以坚其城守，天下得其地则其利少，攻其国则其伤大，万乘之国莫敢自顿于坚城之下，而使强敌裁其弊也，此必不亡之术也。舍必不亡之术而道必灭之事，治国者之过也。智困于内而政乱于外，则亡不可振也。

民之故计，皆就安利如辟危穷。今为之攻战，进则死于敌，退则死于诛，则危矣。弃私家之事而必汗马之劳，家困而上弗论，则穷矣。穷危之所在也，民安得勿避？故事私门而完解舍，解舍②完则远战，远战则安。行货赂而袭当涂者则求得，求得则私安，私安则利之所在，安得勿就？是以公民少而私人众矣。

夫明王治国之政，使其商工游食之民少而名卑，以寡趣本务而趋末作。今世近习之请行，则官爵可买；官爵可买，则商工不卑也矣。奸财货贾得用于市，则商人不少矣。聚敛倍农而致尊过耕战之士，则耿介之士寡而商贾之民多矣。

【注释】

①工：通“功”。

②解（xiè）舍：官员住的房屋。解，通“廨”。

【译文】

民间谚语说：“长袖好跳舞，钱多好经商。”这就是说，物质条件越好越容易成功。所以国家安定强盛，谋事就容易成功；国家衰弱混乱，计划就难以开展。所以为秦国出谋划策，计谋改变了十次也很少失败；为燕国出谋划策，计谋改变一次都难以成功。这并不是因为给秦国出谋划策的人智慧就高一些，给燕国出谋划策的人就愚笨一些，而是因为这两个国家的太平与动荡的条件有本质差异。所以西周背叛了秦国加入到合纵国之中，不到一年的时间就被秦国攻陷了；卫国背叛魏国加入连横国之中，仅仅半年就被魏国消灭了。这就是说西周因合纵而灭，卫国因连横而亡。要是西周和卫国不急着进行合纵连横，而是加强国内的整治，明确法律中的禁令，遵守赏罚的制度，充分利用土地的力量来增加积累，让民众拼尽全力去坚守城池，别的国家就算夺得他们的土地也捞不到什么好处，如果攻打他们的国家就会造成很大的伤亡，就算是拥有万乘兵车的大国也不敢在这般坚韧的城池之下自我拖累，从而促使强国权衡攻打这种国家的弊端，这才是保证国家必然不被灭亡的办法。抛弃必然不会让国家灭亡的方法而去做那些必然招致亡国的事情，这是治国者的过错。外交陷于困境，内政建设混乱，那么国家的灭亡就无法挽回了。

百姓一般的想法，大都是追求安逸的生活和私人的利益而避开危险和贫困。如果让他们去打仗，前进会被敌人杀死，后退会被军法处死，那他就处于危险之中了。放弃个人的家业，还必须承受战事的辛劳，家里有困难君主又不予过问，他的家庭就陷入穷困之中了。穷困和危险交加，民众怎么会不逃避呢？所以他们才会投奔私家贵族，为他们修理官员的房屋，给官员修房屋就可以远离战事，远离战事就可以确保平安。用财物贿赂当权的人就能满足自己的私欲，满足了自己的私欲就能求得个人的心安，个人的心安就是利益的所在，民众怎么可能不去追求呢？这样一来，为国家出力的人就少了，而为私人干活的人就多了。

英明君主的治国政策，总是要尽量减少工商业者和游手好闲的人，并且要让他们的名誉和地位卑微，因为从事农耕的人太少，而从事工商业或游手好闲的人太多。现在社会上盛行委托亲近君主的人办事的风气，这样一来官爵就可以用钱买卖；官爵可以用钱买卖，那么工商业者的地位就不会卑微了。用非法钱财买卖的货物在市场上流通，那么商人就不会少了。他们敛得的财富超过农民几倍，获得的尊重也远远超过了种田打仗的人，结果耿直的人就会越来越少，经商的人就会越来越多。

是故乱国之俗：其学者，则称先王之道以籍仁义，盛容服而饰辩说，以疑当世之法，而贰人主之心。其言谈者，为设诈称，借于外力，以成其私，而遗社稷之利。其带剑者，聚徒属，立节操，以显其名，而犯五官之禁。其患御者，积于私门，尽货赂，而用重人之谒，退汗马之劳。其商工之民，修治苦窳之器，聚弗[1]靡之财，蓄积待时，而侔农夫之利。此五者，邦之蠹也。人主不除此五蠹之民，不养耿介之士，则海内虽有破亡之国，削灭之朝，亦勿怪矣。

【注释】

①弗：通“费”。

【译文】

因此，造成国家混乱的风气是：那些搞学问的人称引先王的道义，借此来宣扬仁义道德，讲究仪容服饰并注重言语修饰，用以扰乱当今的法治，从而让君主的决心产生动摇。那些纵横家们，编造谎言，借国外的势力，来成就个人的私利并置国家利益于不顾。那些游侠刺客，聚集党羽，树立节操，为彰显个人名声而不惜触犯国家的禁令。那些逃避兵役的人，聚集在豪门贵族的门下，用财物行贿，借权贵的力量逃避战争的劳苦。那些从事工商业的人，制造劣质的器具，积累奢侈的财物，囤积居奇，伺机出售，希望从农民身上谋取暴利。上述这五种人，都是国家的蛀虫。君主如果不将这五种像蛀虫一样的人除掉，不供养耿直的人士，那么天下即使出现破败衰亡的国家，出现土地被削、国家覆灭的朝廷，也不会感到奇怪。